吉武姓の話

名字の歴史と分布

吉武弘喜

海鳥社

本書では、吉武・吉竹という名字の起源は、「ヨシタケ」（ヨシとタケが繁茂する所）という地名にあるという仮説を立てている。『古事記』は、日本列島のことを「アシ原の多い水穂の国」と呼んでいる。アシとヨシは同じもので、古代には湿地に茂る背の高いイネ科植物の総称であったのだろう。しかし、現代の日本人にとってはヨシもそれほど身近なものではなくなっているので最初に写真を示しておきたい。 ＊各種の詳細は第１部第２章第２・３節参照

◆ヨシ

筑後川下流浅瀬の群落。高さ３ｍに及ぶ（福岡県久留米市城島町城島・六五郎橋付近、９月下旬）

左：ヨシの個体。葉が稈（かん）の片方にだけ出る個体も（福岡県大川市酒見、花宗川、９月中旬）
右：晩秋のヨシの穂は褐紫色（石川県小松市三谷町・木場潟、11月）

◆ツルヨシ

左：ヨシより全体的に小柄（福岡県筑紫野市吉木、宝満川上流、10月）
右：根茎が地表で広がるツルヨシ（同上）

◆セイタカヨシ

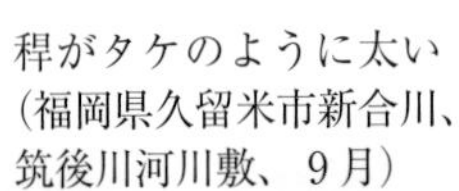

稈がタケのように太い
（福岡県久留米市新合川、
筑後川河川敷、９月）

◆オギ

筑後川下流の群落（福岡県久留米市城島町城島・六五郎橋付近、11月下旬）

オギの穂は銀白色（福岡市西区金武、室見川、11月中旬）

◆ヨシとオギの棲み分け

水中の茶色の列がヨシ、高水敷の白い穂がオギ。ヨシの方が早く枯れる（石川県小松市軽海町・軽海新橋付近、梯川西岸、11月初旬）

◆ダンチク（ヨシタケ）

室見川堤防の高水敷（こうすいじき）の群落（福岡市西区金武、９月）

◆セイバンモロコシ

外来種、西日本で大繁殖。背が高く密生する。細長い葉に白い筋、赤紫の穂（福岡県久留米市合川町の休耕地、９月）

はじめに

本書は、吉武・吉竹姓の分布とその由来、歴史について調べたこと、考えたことをまとめたものである。

私は、福岡県久留米市で生まれ育った。久留米の小学校では、吉武姓は私たちきょうだいしかいなかったのに、父の故郷の蛭池（ひるいけ）（大木町）には吉武姓の家が多いのを不思議に思うことがあった。父は、ウチの先祖は平氏方の武士で、壇ノ浦合戦の後、玖珠（くす）の山地に隠遁していて、その後、三潴（みずま）郡に入植したらしいという話をしていた。この話から私は先祖のルーツに大変興味を持っていた。

父は先祖のことを調べたかったようで、多少資料を集めていた。しかし現役時代にはできず、退職した後にやるつもりだったのであろうが、残念なことに退職間際に脳梗塞で倒れた。その後も、十分回復できないまま、八十二歳で亡くなった。

私もいつか我が家と吉武という名前の歴史について調べてみたいと思っていたが、勤めをしていた間はほとんど何もできなかった。七十歳で退職したが、若干の仕事がその後も残り、また家族の介護もあって、研究は思うに任せなかった。

初めは自分の先祖から始め、福岡県内のことを調べていたが、だんだん県外に範囲が広がって、ついには全国的な吉武・吉竹という名字や地名の分布と歴史について調べることになってしまった。

令和二年（二〇二〇）から新型コロナウイルスの蔓延という思わぬ問題が起こり、図書館の利用も制限され、現地調査もなかなか行けなくなった。まだまだ調査不足であるが、年齢的な限界も感じるようになったので、御協力くださった方々に報告したい気持ちもあり、このあたりでまとめておくことにした。

吉武・吉竹に限らず、日本人の名字やその元になった地名の起源は非常に古い時代のことであり、史料も少ない。その研究には専門的な能力が必要であるが、私にはそのような能力はない。かなり想像の世界になってしまう。ただ、全く見当違いにならないように、図書館で見られるものに限られるが、いろいろな書籍や史料に目を通して自分なりに読み込んで考えたつもりである。

素人の趣味的研究にもかかわらず、親切に御協力くださった皆様にお礼を申し上げる。お気づきの点があれば、御指摘をいただけるとありがたいし、今後、専門的な能力がある方が改めて研究を深めてくださることを期待している。

令和四年七月十五日

吉武　弘喜

吉武姓の話——名字の歴史と分布◉目次

第一部　吉武姓の起源と広がりを考える

第二部　吉武ゆかりの地域

第一部

吉武姓の起源と広がりを考える

第一章　吉武姓の起こり

第一節　名字は地名から

吉武という名字は多いわけではないので、人名辞典類でもあまり取り上げていない。取り上げていても、清和源氏であるといった系譜伝説や歴史に名のある人物との関係、あるいは出身地にふれる程度で、その元々の語源まで考察している辞典はない。

日本人の名字の大部分は地名に由来することは周知の事実である。地名由来が八割とも九割ともいわれている。したがって吉武という名字も地名から始まったと考えるのが本道であろう。

そもそも名字とは、平安時代に発生した名(みょう)（収税区域のこと）の字(あざな)（通称）のことであって、地名（村落の名前）なのである。詳しいことは第五章の名前の歴史のところで説明する。ここでは、まず吉、武、竹の文字を含む名字と地名について、その根源的な由来にふれている辞書の記述を調べてみよう。

インターネット上のサイト、「名字由来ｎｅｔ」において人数が多い名字のうち、辞書に記述があるものを取り上げる。「名字由来ｎｅｔ」では五百位までが出ている。吉武は五百位までに入らないので、他の吉や武、竹を含む名前を探すと次のようになる。

「吉」が付く名字では、十一位「吉田」、一〇九位「吉川」、一三八位「吉村」、一五一位「吉岡」、一八六位

「吉野」、三五一位「吉原」、四〇八位「吉沢」、四八六位「吉井」の順である。
「武・竹」では、五十四位「竹内」、八十九位「武田」、二四五位「竹田」、三六九位「竹中」、三八五位「竹本」、三八六位「竹下」がランキング上位の名字である。
これらの上位の名字について辞書で当たってみたところ、それぞれの由来については次のように解説されている。

●吉田

丹羽基二『地名苗字読み解き事典』柏書房、二〇〇二年
「もともと芦や葦などの生えていた湿田。のち豊穣田の意をもたせて『吉』の字を当てた。ことにアシは『悪し』に通ずるので、ことばも避けた。（以下略）」

志村有弘編『姓氏4000歴史伝説事典』勉誠出版、二〇〇八年
「葭田（よしだ）吉田に通じる。吉田は芦や葦の生えている湿田であった土地に吉字である吉をあてた地名という。古代から日本にある代表的な姓であり、全国に広く分布する。当て字や転字も多い。加賀（石川県）藩に葭田左守、五百石とあり」

森岡浩編『全国名字大辞典』東京堂出版、二〇一一年
「瑞祥地名による名字。良質の水田になることを期した『良し田』に由来し、各地にある。また、関西ではアシのことを『ヨシ』と言い換えたことから、アシ（ヨシ）の茂る田に由来するものもある」

丸山浩一『姓氏苗字事典』金園社、一九八五年
「ヨシダ・キチダは美田で肥沃な田を意味し、地名・姓氏ともに多い。（以下略）」

●吉川

森岡浩編『全国名字大辞典』（前掲書）

「『恵をもたらす川』としての『吉川』に由来するものと、芦を『ヨシ』と言い換えて、ヨシの茂る川に由来するものがある。（以下略）」

●吉村

丹羽基二『地名苗字読み解き事典』（前掲書）

「吉村＝『吉』は佳字、また芦や葦の場合もある。（以下略）」

森岡浩編『全国名字大辞典』（前掲書）

「『恵をもたらす川』としての『吉川』に由来するものと、芦を『ヨシ』と言い換えて、ヨシの茂る川に由来するものがある。（以下略）」

丸山浩一『姓氏苗字事典』（前掲書）

「吉村の吉（ヨシ）は美称であり、好・芳・義などの漢字を当てることもあって姓氏としては相通じる。苗字は吉村が圧倒的で順位は五十八位、西日本に多い。（以下略）」

●吉原

丹羽基二『地名苗字読み解き事典』（前掲書）

「呼称はヨシハラ、ヨシワラと二通りに分かれるが、多くは葦（あし）や葭（よし）の生えた野原をいう。（以下略）」

●竹内

森岡浩編『全国名字大辞典』(前掲書)

「地形由来の名字で各地にあり、(以下略)」

●武田

丹羽基二『地名苗字読み解き事典』(前掲書)

「竹田が原意。のち飾って武家の竹田氏が文字を改める。竹田は松田や梅田と同じく、植物名で符牒的に区別もしたが、じっさいに植物が植わっている地形もある。また、竹林に近い田の場合もいう。(以下略)」

森岡浩編『全国名字大辞典』(前掲書)

「地名由来の名字だが、清和源氏の甲斐武田氏の一族と伝えるものが多い。(以下略)」

丸山浩一『姓氏苗字事典』(前掲書)

「武田は断崖・山麓・小高い所などの意味をもち、地名は常陸・甲斐・下総・陸奥・安芸など各地にみえる。苗字も多くランク六十三位だが、竹田・菌田・健田などの諸家と相通じることもある。武田氏といえば甲斐武田氏が有名だが、(以下略)」

●竹田

森岡浩編『全国名字大辞典』(前掲書)

「地形由来の名字で各地にあり、石川県・富山県・山形県の三県でベスト一〇〇に入っている。（以下略）」

やはり、ほとんどの辞書が、人名は地名に由来し、地名は土地の自然の地形や植生などに由来するという考え方を取っていると思われる。また、「吉」は「良し」に通じる佳字（かじ）として見ている。アシが「悪し」を意味するとして、植物のアシはヨシと言い換えられ、表記も佳字である吉に変わったという解釈がなされている。「吉武」という名前も、地名に由来しており、かつその土地の自然の特徴から来た名称であると考えることができよう。

改めて、吉の後ろに付く文字を見ると、吉田、吉川、吉野、吉原、吉沢、吉井など、湿地の特徴を表す文字が多いことに気づく。日本で稲づくりが始まった古代において、湿地の利用が盛んであったこと、そこが日本人の生活に身近であったことから、地名も湿地名から出たものが多いことが分かる。いずれも、湿地でヨシ（アシ）が多かった地域の地名であったことを示唆しているように思える。吉村も、ヨシ（アシ）が多かった村であったか、あるいは運に恵まれた村になってほしいという願いを込めて名付けたのであろう。「吉岡」は、岡に生えるススキ・カヤ類もヨシと呼んだか、あるいは栗や柿などの実りに恵まれた丘を意味しているのではなかろうか。

竹内、竹田、竹中、竹本、竹下は竹林を意識して付けられた地域の名に由来する名前であろう。「武田」は、元は「竹田」であったが、勇猛でならした甲斐源氏などの武士の家で「竹」を「武」に改めたという。それが各地の竹田家にも取り入れられて、全国で武田氏が増え、竹田をしのぐようになったといわれている。このことは、吉武も吉竹から変化した可能性を示唆している。

ヨシタケとは、初めは、アシ（葦、芦、蘆、葭）やタケ（竹、笹）の多い場所を指す「アシとタケの所」、「アシタケの地」であり、それが「ヨシタケ＝吉竹」という地名となったのであろう。そして、そのヨシタケの地に住んでいた人たちが地名から取ってヨシタケ（吉竹）を名字としたのだと思われる。その後、竹田が武田に変えられた場合と同様に、自家の武運を祈って「吉武」となったものと推測する。

第二節　吉武・吉竹地区とその特徴

吉武や吉竹という地名は、鹿児島県から新潟県まで分布している。日本列島の南西半分であり、概ね温暖な地域にある地名であることが分かる。

いずれも、山麓の湧水、河川、湖に近いか、あるいは丘が妨げとなって水はけの悪い湿地である。ヨシ（アシ）類やタケ類がよく繁茂している点が共通している。このことからヨシタケという地区名の起こりは、ヨシやタケを指しているのではないかと考える。

次に吉武や吉竹という地名のある所、過去にあった所で私が知っている所を示す。

それぞれの地域の大きさを示す手がかりとして、分かる限り米の石高や大字、小字の区別を示した。大字は原則として、明治二十二年（一八八九）四月から町村制が施行されたとき、合併された旧村名を残したもので、ある程度規模が大きい村である。小字も、江戸時代には独立した小村、あるいは村の中の枝村であった所が多いが、明治初期に行政単位として小さすぎる村は整理され、大きな村に吸収合併された所が多い。このような小村は、今ではその名前が消えかかっている所もある。江戸時代末期の地名・石高は明治初年に政府が編纂した『旧高旧領取調帳』による。

●福岡県福岡市西区吉武
背振山脈・飯盛山の山麓にある緩やかな斜面の地域
室見川流域の河岸段丘
日向川が地区を流れて室見川に注いでいる
鎌倉時代は吉武名
天正年間（一五七三〜一五九二）、早良郡吉武村（五〇三石）
江戸末期、早良郡吉武村（八六四石）
明治二十二年、早良郡金武村大字吉武
現存する地名

●福岡県三井郡大刀洗町菅野吉竹
小石原川右岸の水田地帯
中世には吉武
江戸末期、御井郡吉竹村（五十八石）
明治九年、吉竹村は菅野村に吸収合併される
明治二十九年、三井郡大堰村大字菅野字吉竹
地名としてはほぼ忘れられているが、地籍図にはある

●大分県豊後高田市長岩屋（ながいわや）吉武

豊後高田市の中心部と国東（くにさき）半島の中心・両子山（ふたごやま）との中間の位置

江戸末期、豊後国国東郡長岩屋村（四〇九石）の枝村

明治二十二年、西国東郡都甲（とごう）村大字長岩屋字吉武

都甲川に沿った山間の小村

現存する地名

●大分県玖珠（くす）郡玖珠町山浦（吉武）

昭和四十年代まで吉武山の南麓、亀石山との間の谷間に吉武という地名があった

現在は地籍図にもなく、消滅している

●大分県日田市大肥町（おおひまち）吉竹

福岡県東峰（とうほう）村に隣接する大きな山地の中の小集落

旧日田彦山線の宝珠山（ほうしゅやま）駅の近くで、大肥川の沿岸

中世には吉武小犬丸名

江戸末期、豊後国日田郡中島村（七七六石）の枝村

明治二十二年、日田郡大鶴村大字大肥字吉竹

現在も公民館名、地域名として生きている

●鹿児島県伊佐市大口大田字吉竹
熊本県人吉市、宮崎県えびの市に接する山地の盆地、大口大田の小字
羽月（はづき）川の東側、大口病院のあたり
江戸末期、薩摩国伊佐郡大田村（一三七七石）の枝村
明治三十年、伊佐郡大口村大字大田字吉竹
現在、吉竹という地名はほとんど使われていないようであるが、地籍図にはある

●滋賀県高島市新旭町（しんあさひちょう）（吉武）
琵琶湖西岸で水郷
吉武城跡あり
江戸末期、近江国高島郡吉武村（二一八石）
明治八年、森村に吸収合併
明治十二年、旭村に吸収合併
明治二十二年、滋賀県高島郡饗庭（あいば）村大字旭
吉武城跡周辺に吉武という地名があると記す資料がある（高島市教育委員会編『高島の城と城下――城・道・港』二〇一三）が、現在の地籍図にはないようである

●石川県小松市吉竹町
白山連峰から能美（のみ）山地へと続く大きな山地の麓にあり、大きな湖沼がある湿地帯

吉竹町は元は広い水田地帯で、現在は、半分ほど宅地化されている
中世には吉武村
江戸時代、（加賀藩領）能美郡吉竹村
江戸末期、加賀国能美郡吉竹村（一二三二石）
明治二十二年、能美郡浅井村大字吉竹
現存する地名

●新潟県長岡市寺泊夏戸（てらどまりなつど）吉竹
寺泊夏戸の中で最も海寄りの地域（枝村）である
夏戸は丘陵から流れ出る小河川が多いが、南北と西（海側）の三方を丘（砂堆（さたい））に囲まれ、排水が悪い
湿潤な地区
江戸末期、越後国三島郡夏戸村（九二八石）の枝村
明治二十二年、三島郡寺泊町大字夏戸字吉竹
市販の地図ではほとんど記載がないが、地元では生きている地名である

●愛知県新城市牛倉字吉竹
東三河地区で、静岡県と接する。浜名湖の北に当たる位置にある
豊（とよ）川の沿岸にあるごく小さな地区
江戸末期、三河国設楽（したら）郡設楽村（一〇六石）の枝村

明治二十二年、南設楽郡石座(いわくら)村大字牛倉字吉竹
現存する地名

ヨシやタケの繁茂する土地は、昔は、全国各地に無数にあったはずである。その割には吉武や吉竹の地名が残っている所が少ない。おそらくもっと昔は各地にあったはずで、小さな地区名は消えたのであろう。明治時代に番地による住所表記が行われるようになり、さらに戦後は都市部では○丁目○番○号という数字中心の住居表示に切り替えられつつある。昔の小字は次第に人々の記憶から消えている。また、住む人がいなくなって地名が消えるということもある。例えば、大分県玖珠の吉武山の麓の吉武という小字名は、昭和四十年代までは地図にあったが、五十年代から消えた。住む人がいなくなったのであろう。

第三節　アシをヨシと言い換え

吉武・吉竹地区は、全国どこでも、「吉武」か「吉竹」と表記されているので、ある時期に統一的に「アシタケ」から「ヨシタケ」に変えられた地名であるように思われる。思い当たるのは、奈良時代初期、和銅六年（七一三）に、風土記の編纂が始まったが、このときに全国の地名の表記を、好ましい漢字でなるべく二文字に統一するという方針が示されたことである。この方針の下で「アシ」を「ヨシ」に言い換えて、「吉」の字を当てることが行われたのではないかと考える。

アシの多い湿地を開いた土地の地名に「吉」を付けた例は多い。吉田、吉川、吉原がそうであり、その地名

にちなむ名字の人口も多い。

私が住む筑紫野市に「吉木」という地名がある。これは「阿志岐(あしき)」という地名を基にして生まれた地名である。阿志岐には、『万葉集』に出てくる古代の宿駅「蘆城駅家(あしきのうまや)」の跡と見られている遺跡がある。昔は、阿志岐の他、芦木、悪木、葦木、安志岐などとも記されている。吉木という地名は、阿志岐村の人口が増え、新田を開墾して新村を立てたとき、本村の阿志岐村より良い名前にと、名付けられたものだろう。

筑紫野市教育委員会文化財課では、「阿志岐」は本来「蘆城」で、宝満(ほうまん)川の周囲に広がるアシ(蘆)の原野と、そのアシの原野を見下ろす宮地岳にあった古代山城のキ(城)を意味していたのではないかとしている(「文化薫道」、『広報ちくしの』二〇一九年四月十五日号)。

千葉県印西(いんざい)市には「吉高」という地名がある。沼のほとりの地域で、アシが高く茂っていたので「葦高(あしたか)」といっていた土地を、「吉高」と佳名で表現したといわれている。

アシ(葦)がヨシと呼ばれるようになってからは、植物のヨシには「葭」という漢字が当てられることもある。例えば、江戸時代の遊郭特別区であったヨシワラ(吉原)も、元はアシの茂った湿地の原野で、初めは「葭原」と書いていたが、いつからか「吉原」になったという。

第二章　葦と竹のこと

第一節　初期の水田開発と葦

『古事記』は、日本列島のことを「豊葦原（とよあしはら）の千秋長五百秋（ちあきのながいほあき）の水穂国（みずほのくに）」と記す。葦原は日本人の生活にとって大切なものであり、国の富であるという気持ちが込められた文言であるといえよう。

稲を作るには湿地性のイネ科の植物が繁茂している葦原が適していた。古代日本人が認識した葦原とは、低湿地に背の高い草が生い茂る原っぱのことであろう。イネ科の植物の細かい分類などがない時代のことである。アシ（ヨシ）だけではなく、オギやジュズダマなど似た植物も含めていたであろうと思う。英語でアシ（ヨシ）はリード（reed）というが、英語でもリードは背の高い草の総称としても使われる。

土木技術がなかった弥生時代、日本列島における稲づくりは、高台と湿地が近いような場所を選んで行われた。治水対策がほとんどできず、洪水被害が多かった時代であるから、住居は少し高い場所に作る必要があった。その住居の近くに自然の湿地を見つけて、そこに水田を作ったと推測される。山の麓で平地に水が流れ出して湿地があるような所、平野部なら河川の河岸段丘や自然堤防のような少し高い場所があり、その端に湧水や小川のあるような所が選ばれたと思われる。

稲づくりに適した湿地は、アシやオギなどイネ科植物が繁茂する、いわゆる「葦原」である。こうした土地には竹笹類も多い。まさに「葦と竹の所」を見つけるのが新田開発の第一歩であったのだろう。そのような「葦原」に入り、杭を打ち、竹を編んで区画を作り、水を温める溜め池と水路を作り、掘り上げた土であぜ道を固めるなどして田を作ったのである。底が深い田では葦を刈って敷き込むことも行われた。

森岡浩編『全国名字大辞典』（前掲書）では、吉武という名字について「筑前国早良郡吉武名が発祥か」と述べている。早良郡吉武名は現在の福岡市西区吉武である。吉武地区は、飯盛山を背にして室見川に面する土地であり、まさに古代の稲づくりに適した土地であったと思う。吉武地区の日向（ひなた）川の河川敷や岸辺には、ツルヨシ、オギ、ジュズダマ、シノダケ、マダケなどが繁茂している。まさに、「葦と竹の所」であったと思う。

以下、葦と竹の類（たぐ）いの特徴について述べるが、私が観察しているのはほとんどが福岡県内の植生であるので、地域的な偏りがあることをお断りしておく。

第二節　ヨシについて

アシとヨシとは同じ植物であり、両方の呼び方が行われている。元の名はアシであったが、奈良時代初期に全国で風土記が編纂されたとき、アシは「悪し」で不吉であると考えられてヨシに換えるように推奨されたのであろう。現在の標準和名はヨシであるが、アシという名前は今もよく使われている。奈良時代や平安時代に強制的に名前の統一がなされたというわけでもなさそうである。

昔の日本人が「ヨシタケの所」と呼んだようなヨシとタケとは、この類いの植物を総称していったものと思う。

イネ科の植物は、どれもよく似ており、葉や茎だけでは見分けがむずかしい。穂が出ると、ようやくその違いが分かる。イネ科の植物は種類が多い。環境条件や悪天候にも適応力が高く、沖縄から北海道まで分布している。ヨシも一種ではない。イネ科ヨシ属としていくつかの種がある。

〈イネ科ヨシ属〉

●ヨシ（葦）

水辺に生える大型の多年草。水中の深さ五〇㎝ぐらいから、水面上五〇㎝ぐらいまでの中洲や岸辺に生える。茎は空洞で直立し、背が高く三ｍぐらいになる。河川の下流域の浅瀬、河川敷、湖岸、池・沼、河口、海辺に群落を形成する。

日本では、沖縄から北海道まで分布している。

ヨシは地中に地下茎を伸ばして増える。メソシュウ酸を出して他の植物の生育を阻害するので、ヨシだけの純群落となっている所が多い。

筑後川では、城島町あたりから下流、大川市や柳川市の河口などに大群落が見られるが、下流域だけでなく、川の上流、中流域にも見られる。

葉は長さ二〇～五〇㎝、幅三㎝ぐらいの細長い形で、茎から横に出ている。ススキより短く、幅が広く、やや硬く、若葉は垂れていないが、長く成長した葉は垂れる。葉は互生（一枚ずつ互い違いに付くこと）するが、上の方では片方だけに葉が出ている個体もよく見かける。オギやススキでは葉の中央に白い筋があるが、ヨシでは見えない。

八月から花穂（かすい）が出て十月に稔（みの）る。茎の先にまっすぐに淡紫色の穂が出る。穂は円錐花序（えんすいかじょ）（花軸が何度も枝分かれして全体が円錐形になるもの）で、多数の小穂を付ける。

十月下旬から十一月になると全体に茶色っぽく枯れた感じになり、背の高い裸の茎が目立ってあまり美しくない。

●ツルヨシ（蔓葦）

ツルヨシはヨシより全体として小型で、葉っぱも少し小さい。それでも背は二mぐらいになるものも多く、穂の色も褐紫色で、外見ではヨシと区別がむずかしい。

根茎がツルのように地表を這って広がるのでツルヨシと名付けられたらしい。縦横に河床をツルが這うので、ツルヨシのことを「ジシバリ」ともいう。つまり地面を縛る草の意味である。ただし、密生していて根茎が見えにくい場合が多い。根茎は地下でも広がるので、必ず地表を這うとは限らない。

葉はヨシと同じで、白い筋は見えず、短く硬い。ススキやオギのように細長くない。茎から横に出て長い葉の先は垂れる。

ツルヨシは、葉の基部の茎のサヤになっている部分が赤紫色をしているといわれるが、すべてのツルヨシの茎が赤紫色になっているわけではない。若い個体では赤っぽい傾向が強いようである。

穂の細部を観察すればヨシと異なるらしいが、専門的でむずかしい。重要な手がかりは、ツルヨシは川の比較的上流に生えていることである。普通のヨシは水の流れが穏やかな川の下流域や湖沼の水辺に多いが、ツルヨシは流れの速い渓流から中流域の河川敷に生え、砂地あるいは砂礫（されき）まじりの河原によく生えている。

福岡市西区吉武地区の日向川のヨシも実はツルヨシである。宝満川の上流域のヨシも大部分ツルヨシである。

●セイタカヨシ（背高葦）

名前どおり、背が高く（四ｍぐらい）ヨシよりも全体に大型である。セイタカヨシは、茎がタケのように太くなる。ヨシズづくりには適さない。また、葉が厚くて硬く、シャキッと斜め上方に立っているところが特徴で、遠方からでもすぐ判別できる。

筑後川で観察している限りでのことであるが、セイタカヨシは枯れる時期が遅いようで、ヨシが茶色になってしまった一月上旬でも、まだ緑色の個体が多い。ヨシ同様に根茎で広がるが、水中にはあまり生えない。たまに川が増水したときに水が流れるぐらいの高水敷（こうすいじき）に生育している。

筑後川で見るセイタカヨシは、大群落ではないが、ヨシ、ツルヨシ、オギ、セイバンモロコシなどの中に、所々まとまって生育している。背が高いので遠くからもすぐ見つかるほど突出した形でまとまっている。筑後川では久留米市新合川（しんあいかわ）の「ゆめタウン久留米」あたりの河川敷に多い。琵琶湖では北部には見られないというから、寒冷な気候には弱いのかもしれない。

第三節　ヨシとよく似た植物

次に、ヨシとよく似ていて、おそらく豊葦原水穂の国という場合のアシに入ると思われるイネ科の他属の植物の例をいくつか挙げてみる。この他にもたくさんあるが、比較的身近なものを挙げる。

〈イネ科ススキ属〉

●ススキ（芒、薄）

最も身近でよく知られている在来雑草の一つ。一〜二mの高さになる。ススキは株単位にまとまっているので分かりやすい。ヨシやオギより乾燥した土地を好み、土手の上の道路脇などに生える。しかし、適応力が強いので、オギなどと混生することもある。しかし、さすがにヨシのように水中に生えることはない。

葉は根元に近い所から出て、細長く伸びており、大きく垂れている。葉の中央に白い筋が目立つ。葉は硬くて、さわると両端のギザギザで手を切りやすい。茎が細いので風に傾きがちで、穂も柔らかいので、片方に穂先をそろえて風になびいているススキの様子は秋の風景として代表的である。ただし、この風景は次に挙げるオギでも同様であるので注意を要する。

●オギ（荻）

オギは好む環境がイネと似ており、新田開発の土地探しではオギが重要な目安になる。オギは雨期には水が溜まるが、秋冬には乾くような土地によく生える。

ススキ属であり、ススキと間違えられることが多いが、ススキは土手の上に繁茂し、オギは河川敷に多い。大きさはヨシとススキの中間であるが、二m以上になるものもある。ツルヨシとも似ている。

ヨシと比較すると、オギの方が葉が細長い。葉の中央に白い筋がある。茎を切るとヨシは空洞だが、オギはススキ同様に胴の中に白い綿がある。秋にはヨシの穂は褐紫色で、葉・稈（かん）（イネ科植物の茎）も早目に茶色っぽくなるが、オギは穂が白くて、葉や稈が枯れるのが遅い。ヨシは晩秋には葉が元気なく垂れてしまい、全体的にみすぼらしくなるので区別しやすい。ヨシは水中や浅瀬に生えるが、オギは水中には生えない。川では、ヨシは水中から水辺に生え、その外側の河川敷（高水敷）にオギの群落ができる。耕作放棄の水田に荻原が復活している所もある。元々「オギの地」は「ヨシとタケの地」として認識されていたものと思う。

ススキと比較すると、ススキは株立ちしているが、オギは株をつくらない。オギは湿地にしか生えない。秋になるとオギの方がススキより毛が長く、穂を握るとススキよりもふわっとした柔らかな感じがする。オギの方が毛の色が白い。日光に照らされると銀白色に光ってきれいである。ススキには花穂の小穂の先端に芒（のぎ）という毛があるが、オギにはない。

筑後川では、水辺からヨシ、オギ、セイバンモロコシ、ススキの順に水から離れている。

東京に「荻窪（おぎくぼ）」という地名があるが、オギが群生していた窪地という意味であろう。「荻」を含む地名は多い。荻野、荻原、荻島、荻谷等々である。元来、荻の原野を開墾して田を作って村ができた所は多かったと思われる。

〈イネ科ダンチク属〉

●ダンチク（暖竹、葮竹）

セイタカヨシと同じくらい大きい植物である。ダンチクは、大体十本ぐらいずつまとまって株のように立っている。「ヨシタケ（葦竹）」とも呼ばれている。「ダンチク」という呼び名もそうであるが、昔の人はタケの類いだと思っていたのであろう。四mぐらいと背がタケのように大きくなり、稈の太さもタケのようである。

ダンチクは、葉がたくさん出て、垂れ下がっているので、葉がシャキっと立っているセイタカヨシとは容易に区別できる。

福岡市西区吉武地区には湿田の上段の道路沿いにダンチクがまとまって繁茂している場所がある。近くの室見川の堤防中段にも、所々、ダンチクのまとまりがある。「ヨシタケ」（ダンチク）があるから「吉武」という地名にしたのかということも考えたが、ダンチクがない地域にも「吉竹」という地名があるので、やはり「吉竹」という地名は「ヨシとタケ」から出た地名であろうと思う。

亜熱帯系の外来植物らしく、関東以西、特に西日本の海岸などに分布しているという。


〈イネ科モロコシ属〉

●セイバンモロコシ（西蕃蜀黍）

ヨシなどの観察のために久留米の筑後川へよく行くようになってから、特定のイネ科の草が、堤防、河川敷はいうまでもなく、付近の道路沿いにも、休耕田にも繁茂していることが気になった。筑前地区の川辺ではそれほど多くなく気がつかなかったが、筑後地区では非常に多い。気になって植物図鑑をいろいろ調べて、セイバンモロコシという草であることが分かった。

その後、伊藤操子氏の「雑草紹介シリーズ　セイバンモロコシ」（『草と緑』第六巻、特定非営利活動法人緑地雑草科学研究所、二〇一四年）や山根明・原田佐良子・内田泰三氏の共同研究報告「河川堤防に繁茂する侵略的外来種セイバンモロコシの抑制技術の検討」（『日本緑化工学会誌』二〇一六年）といった論文を見つけた。

以下、これらの文献に基づいて述べる。

この草は、地中海原産の大型多年生イネ科植物で、日本へは主に米国から入って来たと考えられている。

日本では昭和十八年（一九四三）に千葉県で採取されたのが最初であるらしいが、本州以南に分布している。近年、西日本で大繁殖中で問題となっている。筑後川では平成二十三年（二〇一一）には既に堤防面積の四七％がこの草で覆われていたという。

背が高く、二m以上にもなり、密生するので、在来種の多くの草が負けてしまう。視界を妨げるので市民の散歩にも不興を買う。巡視・防犯など河川管理上も障害となる。

モロコシ（ソルガム）とか、コウリャンの仲間であるが、セイバンモロコシは青酸化合物などの毒を含むらしい。昔は米国などでは干し草にして毒抜きをし、家畜のエサにしたらしいが、現在では使われない。一九九〇年代までは、輸入飼料に混入して我が国に入ったことが確認されている。

穂の形は円錐花序であるが、ススキやオギと異なり、小穂がまばらで大きく開いている。十一月には赤紫の実となる。

葉はススキに似て中央に白い筋が通っている。葉の感じはトウモロコシやジュズダマとも似ている。ただし幅はそれらのように広くはない。

この草は丈夫で刈り込んでもすぐ再生する。一級河川では、年二回、河川敷の刈り込みが行われているが、それでは抑制できないという。暑い時期に、五十日以上開けずに三回刈り込む必要があるとの研究（山根明氏他の右記論文）もあるが、コストがかさむし、かえって在来種のオギなどを弱めてしまうおそれも指摘されている。除草薬剤の使用も、他のイネ科在来種への悪影響が心配されている。

第四節　ヨシ類の効用

ヨシとヨシに似た植物を「ヨシ類」と言っておくが、これには様々な効用がある。

まず、陸地造成の作用がある。ヨシを植えると水の流れが滞り、土砂が溜まりやすいので、筑後川の下流では、昔から中洲にヨシを植え付けて早く島になるようにしてきたようである。

城島町にはこんな話が伝わっている。戦国時代の終わりの慶長十年（一六〇五）ごろに、江島村（現・城島町）に流れて来た肥後菊池氏の末裔・菊池惣右衛門（そうえもん）という人が、筑後川の砂州に葭草類を植え付け、手入れをおこたらず、元和三年（一六一七）には家族でこの島に住み着いて、有喜（うき）島と名付けたという。時の筑後領主・田中吉政に願い出て筑後領と認めてもらった。この島が現在の城島町浮島となったという（『城島町誌』一九九八年）。

また深く足がぬかるむような湿田では、ヨシを敷き詰めて改良することも行われてきた。

ヨシの、近年まで続いてきた代表的な使い方としては、茎が長く中空で軽いので、日よけの葦簀（よしず）や簾（すだれ）の材料にした。茎に油分があるので水に強い。屋根葺きにも日本全国で広く使われていた。カマドの燃料にもよい。牛馬のエサにもなるし、若芽は人も食べられ、根は漢方薬になる。腐葉土にして肥料にする。ヨシは雑草を抑える成分を持っているので、畑に敷くと雑草除けになる。ヨシの繊維からはパルプが作られており、再生紙にも使われている。

環境問題の観点からも、ヨシは水中の窒素やリンを吸収するそうで、水質の向上に大事な役割を果たしているという。冬に刈り取り、倒れた枯れ草を焼くことによって、湾内や湖沼の水質が維持され、ヨシ原が美しく再生・維持される。しかし、近年、日本人の生業（なりわい）の変化や、安価な外国産ヨシズの輸入増加により、ヨシが放置されている所が増えている。環境保護団体が呼びかけて、ヨシ原の刈り込みなどが行われている。

ヨシは土質などに対して適応力が高く、大河の河口など海の近くの塩性湿地にも群生する。潮の干満の影響が大きい有明海の河口では、ヨシはより大柄になっているようにさえ見える。地中を這う根茎は水分を吸収する力が強く、水不足になっても簡単には枯れない。

なお、日本では昔から、背の高い草全般を総称して「カヤ」と呼んできた。「茅葺き屋根」のカヤである。古代には「草」と書いて「カヤ」とも読んだ。豊前の古代の港「草野津」は「カヤノツ」と読む。

また、屋根葺きのカヤは実際には地域によって草の種類が異なる。地元で入手しやすい、茎（稈）がまっすぐでしっかりしたイネ科の植物をいろいろと使ったのである。チガヤの他、ススキもよく使われた。

ヨシやオギは、今、再び注目されている。近年、地球温暖化によって激しい洪水が増えたが、河川の堤防や高水敷を保全するためには、ヨシやオギの根張り効果が重要であると考えられている。また、我が国の固有生物を守るために外来種の規制が強化される方向にあり、生産生の高い牧草やバイオ燃料の開発などのために、オギやススキの遺伝子を利用することが研究されている。

第五節　タケについて

タケ類も湿地を好む植物である。

タケは、ササ類も含めて、イネ科タケ亜科という分類になる。周知のとおり、常緑性の多年生植物である。

イネ科に共通な特徴として、タケにも、稈（幹の部分）に節があり、地下茎で広がる。

タケ亜科に属するタケは日本では約一三〇種類があるというからかなり多様である。タケ類にはマダケ、モウソウチク、ハチクなどの属があり、ササ類には、ササ（クマザサを含む）、スズタケ、ヤダケ、アズマザサ、メダケなどの属がある。

タケとササの分類はむずかしい。一般的には概して小型のものをササといっていると思うが、オカメザサは小型なのにタケ類とされ、ヤダケやメダケは背が高くなるのにササ類とされている。

植物学的には、稈の形状の違い、鞘（皮の部分）の付き方、葉の違い、枝の出方、生育地域などで分類するようである。

タケは稈の節目がごつい。ササはすらりとしている。また、タケは稈の鞘が早く外れるが、ササは成長しても稈に皮が張り付いている。稈を輪切りにするとタケは凹部があるが、ササはきれいな円筒形である。

また、よく見ると葉に違いがある。葉脈が、タケは縦と横に交わる格子状になっており、ササは並行な筋だけである。

さらに、タケは節目から枝が二本までしか出ないが、ササは三本以上出る。

タケ亜科は概して温暖な土地を好むが、ササ類の中にはクマザサのように寒冷地や高地でも生育するものがある。

日本のタケの代表は真竹（マダケ）であろうが、イネ科タケ亜科マダケ属マダケという分類になる。

ササの中でも、細長くスラリと伸びたものを「篠」とし、背が低いものを「笹」で表すことが多いようである。いずれも密生する。福岡県の三潴（みずま）地方などでは、クリークの岸に繁茂しているのをよく見かける。福岡市西区吉武地区もタケやササがあちこちで密生している。吉竹という地区ではタケやササをよく見かける。

ササの中では背が高い篠竹（シノタケ）は、西日本から関東まで広く分布する。七夕祭りの竹飾りなどに使われ、竹工芸の材料として広く親しまれて来た。標準和名は「メダケ」で、分類としてはイネ科タケ亜科メダケ属メダケである。

メダケは、すらりと伸びてしなやかで、女性的な感じがするので女竹（雌竹）という名になったのであろう。弱竹（ナヨタケ）ともいう。川岸によく生えるので河竹（カワタケ）ともいわれる。海辺にも多い。高さは二m以上で生育条件によってはかなり長く伸び、稈は直径一～三㎝程度と細い。昔は釣り竿にしていた。かつては旅行用の行李（こうり）がメダケで作られていた。稈がきれいな円筒形なので竹鉄砲づくりにも適する。私たちが子どものころは、ヤツデやスギの実をタマにして、遊んだ。

矢竹（ヤダケ）はササである。稈が直径一㎝ぐらいで細長く、まっすぐで、節目がすらりとしているので矢や筆の材料として使われてきた。昔、城にはヤダケがあるというのが常識であったというが、戦いのときに矢の材料を得られるというだけでなく、ヤダケが生える土地には水脈があり、井戸を掘ると水が得られるので、城づくりに適した土地の条件でもあったらしい。

第六節　ヨシタケの北限

クマザサのように、日本全国、沖縄から北海道まで分布しているものもあるが、タケは基本的には温暖・多湿を好む植物である。特にメダケは、福島・新潟・関東あたりが北限とされている。メダケの分布が「吉竹」という地名の分布と一致しているように思われる。

現在、「吉竹」という地名は、新潟県長岡市寺泊夏戸までにしかなく、それより北にはない。人名の吉竹・吉武も、本来の自然発生地としては、新潟県まであったのではなかろうか。現在、新潟県には吉武氏が約七十人、吉竹氏が約二十人いて、多い人数ではないが、いずれも四十七都道府県の中では二十五位以内に位置している（人数は後述の「日本姓氏語源辞典」の推計値）。

新潟県の歴史には、慶長・元和の頃に吉武壱岐守や吉武右近という人物が出てくる。慶長三年（一五九八）、村上頼勝が本庄城（村上市）に入ったとき、吉武壱岐守という武将が本庄城の一角を守ったので、そこは「壱岐殿丸」と呼ばれたと伝えられている。また、吉武右近という武将もいて蒲原郡安田村（阿賀野市保田）の安田城の城主に任じられたという。この二人は村上氏が元和四年（一六一八）に改易となるまでその任にあったと思われる。彼らは近江高島（現・滋賀県高島市）の出身と推測されるが、新潟県長岡市に吉竹という地名があるので、そのあたりから出た吉武・吉竹氏がいてもおかしくないであろう。

現在は、北海道や東日本でも、吉武姓はかなりある。しかし都市部に散在しているので、明治以後の移住による結果であろう。近代における移住の波は、明治維新後の北海道や東北の開発期、第二次大戦直後に外地から六二四万人という多数の同胞が引き揚げて来た時期、数度の工業化の波（軽工業化、重工業化、石油・化学工業化など）で人々が移動した時期など、何回かあった。

明治維新の廃藩後、職を失った旧武士のために、明治政府は北海道や東北への開拓移住を奨励した。

東北での大きな開拓事業としては、明治十年（一八七七）ごろから行われた現在の郡山市の安積野の開拓事業があった。猪苗代湖から水を引く「安積疏水」開鑿を伴う大事業であった。明治政府はここに士族五百戸を入植させた。明治十一年十一月、福岡県から旧久留米藩士が家族ぐるみで郡山の南部（大蔵壇原）に集団入植した。彼らが開いた地区は現在も「久留米地区」といい、久留米水天宮から勧請した水天宮が南北二社ある。移住した久留米藩士の中に吉武姓の人たちがいたのではなかろうかと調べてみたが、当時の移住者名簿などに吉武の名前は出て来なかった。

福島県には郡山の他に会津地方の河沼郡で、会津坂下町と湯川村に吉武姓が少数ながらある。地元の吉武家に電話でお尋ねしたところ、いつかは分からないが先祖は九州から来たと聞いていると話されていた。藩政の時代には九州から会津への移住はまず考えられないであろう。

江戸時代は武士も庶民も藩境を越えた移動は厳しく制限されていたが、大名の移封のときは藩士や職人たちが命じられて一緒に移動することがあった。しかし、徳川幕府になってから、九州の大名が福島県域（岩代(いわしろ)・磐城(いわき)）の藩に移封された例としては、文化三年（一八〇六）に三池藩主の立花種善(たねよし)が岩代の下手渡(しもてど)藩主に移封された例があるぐらいであろう。このときは、藩士の五分の一、四十二名しか移住しなかった（第二部第二章第三節参照）から、この中に吉武氏がいたとは考えられない。

やはり明治になってからの移住の可能性が高いであろう。安積の開拓団のメンバーでなくても、関連情報をきっかけに、あるいは郡山に先に入植した人を頼って九州から会津地方へ移住した人たちがいたのではなかろうか。

福島県より北の東北地方には、吉武氏は都市部にしかいないようであり、やはり昔からいたのではなく、比較的新しい移住であろう。

関東圏には現在は吉武氏が多いが、やはり都会に多く、ほとんどは明治以降の移住であろう。千葉県の海岸に海民としての吉武氏が住み着いた可能性はあり、事実、千葉県や茨城県では海から近い地域に若干の吉武姓がある。

愛知県にも、地名として吉竹があり、人名は吉武（約三百人）も吉竹（約六十人）もある。地名があるので地元の吉武・吉竹氏もいる可能性はあるが、やはり大都市圏であるので、関東と同様に明治以降に移住してきた人が多いのではなかろうか。

第三章　吉武姓の広がり

ここまでに、人名が地名に起源を持つことを知り、吉武・吉竹の地名がどこにあるかを尋ね、さらに吉武・吉竹は、植物のヨシとタケに起源を持つのではないかと考えて来た。そして地名と植物の分布が一致することを確認した。

このあたりで、少し角度を変えて、吉武・吉竹姓がどんな地域に多いかを調べて、その共通する要素を考え、吉武という名字がどこで生まれ、そこからどのように広がったかを考える手がかりとしたい。

第一節　吉武姓の分布に関するインターネット情報

どんな名字がどこに多いかの情報については、現在はインターネットで調べるのが便利である。現在インターネット上には、いくつかのサイトで、電話帳に基づいて集計されたと思われる氏名の多さに関するランキングなどが公表されている。

電話帳の電話番号は、通常、世帯のものであり、また、病院・企業などの機関・団体の電話番号も含まれていると思う。したがって、人数や世帯数というより、抽象的に「件数」ととらえるのがよいであろう。実際、日本ソフト販売株式会社が運営している「写録宝夢巣――姓名分布&姓名ランキング」では「件数」となっている。株式会社リクスタの「名字由来ｎｅｔ」では、人数については、政府発表統計や独自調査により得られたデータに基づいて独自に算出したと説明している。したがって、サイトによっては独自に工夫して「人数」や「世帯数」として算出した数字を出しているのであろう。したがって、これらの数値の引用に当たっては、数値の単位は、各サイトに示された単位をそのまま使うことにした。

しかし、人数や世帯数を推計した方法は説明がない。また、電話帳に基づく場合、現在は個人情報として掲載を希望しない所は記載されないので、各地区の吉武家のうちの何割が登録しているかは分からない。登録率が高い地域も低い地域もあるだろう。

したがって、各地区の吉武姓の人数についてのインターネット・サイトの推計情報は、慎重に見る必要がある。ただ、私は複数の同種サイトの数値を比較してみて、吉武氏の全国の名字の中での割合や、どこに吉武姓が多いか、少ないかという傾向を知るには、公表されているサイトの情報は信頼できると考えている。

例えば、まず、「写録宝夢巣」（シャーロックホームズと読むのであろうか）というサイトから得たデータを基に、地域ごとの登録総数における吉武氏の割合を算出して、都道府県と市町村で吉武氏が比較的多い地域を抽出した。このサイトは、平成十九年（二〇〇七）までに発刊された全国の電話帳に記載されていた約二三三八万世帯について集計したものである。そのうち、吉武という名字が二七三一世帯だったとしている。ほぼ一万分の一という割合である。

宮本洋一氏制作の「日本姓氏語源辞典——名字の由来、語源、分布」というサイト（以下、「姓氏語源辞典」と略称）も参照し、比較した。こちらは、平成五年から平成二十八年の電話帳を使用して集計したものという。全国における吉武姓の人口は約一万四四〇〇人と推計している。平成二十八年の日本の人口は一億二七〇〇万人であったから、やはり約一万分の一という割合になる。

「写録宝夢巣」のサイトより、宮本氏の調査の方が、調査対象とした電話帳登録件数（母数）がだいぶ多いようである。また、宮本氏の調査では、吉武姓が多い都道府県、市町村だけでなく、さらに小規模な地域（大字など）のデータも公開されており、登録総数における吉武姓の割合も算出されているので、本書では主にこのサイトのデータを利用させてもらった。他のサイトと比較しても傾向は同じであるので、地域別の吉武・吉竹の人数や割合は、ほとんど、宮本氏のサイトによっている。

人名に関する電話帳集計データを公表しているサイトは他にもあるが、吉武姓が多い都道府県・市町村の順位などに大きな違いはないようである。

また、一般的な電話帳が市区町村別の五十音順であるのに対し、大字などの小地域別に掲載している「ネットの電話帳」というサイトもある。「ネットの電話帳」では、平成十二、十九、二十四年の電話帳を見ることができる。「ハローページ」のデータ（その一部と思われるが）が基になっているようである。これも、市区町村の中でさら細かく吉武姓がどのあたりに多いのかを調べるために大変便利であり、必要に応じて活用した。

第二節　吉武姓は多くない――一万分の一世帯

吉武という名字は全国的には多くないとは思っていたが、名字ランキングのインターネット・サイトを見ると、予想以上に少ない。

上述のように、「写録宝夢巣」の世帯数でも、「姓氏語源辞典」の人数でも、吉武姓は一万分の一である。

「写録宝夢巣」で見ると、名字の多さの順位は一二〇七番目で、約二三三八万件のうち二七三一件が吉武氏である。

「姓氏語源辞典」では、吉武姓の人数は一二〇二位で約一万四四〇〇人、その割合は〇・〇一一七％となっている。

「名字由来ｎｅｔ」では、吉武姓は一一七四位でおよそ一万四九〇〇人という。なお、吉竹については、順位三六九一位、およそ三三〇〇人となっている。

右の三つの調査では、吉武という名字は、いずれも一二〇〇番目ぐらい、概ね一万世帯に一世帯、一万人に一人が吉武姓であるという結果はほぼ一致している。

なお、平成十七年度（二〇〇五）の政府統計局推計では全国に四九五七万世帯があるので、そのうち吉武姓はおよそ四九五七世帯ということになる。平成十七年ごろの一世帯平均人数は二・五人ぐらいであるから、全国の吉武氏は一万二四〇〇人ぐらいになるという計算ができる。

第三節　吉武姓が多い県

吉武姓の多い都道府県は表1のとおりである。

福岡県が圧倒的に多く、次いで山口県、大分県が多い。この三県が吉武氏が集中的に多い地域である。四位以下とは格段の差がある。次いで福岡県に隣接する佐賀県、長崎県、熊本県に多い。

首都圏（東京・神奈川・千葉・埼玉）、近畿圏（大阪・京都・兵庫）、中京圏（愛知）といった大都市圏にも多い。これらの大都市圏は人口自体が大きいので、吉武氏の人数も多いが、自然な名字の伝播とは違って、明治以降の急速な人口移動の結果と思われ、吉武姓のルーツを考える上では、別扱いしなければいけない。ただ、三大都市圏にも、近代になってからの移住だけでなく、江戸時代までにもある程度吉武氏がいたことを無視してしまってもいけないので、留意が必要である。大阪・京都の淀川流域、関東の銚子など海から近い地域に、数は少ないが吉武氏がいる。これらの地域では、近代における都市への人口集中とは別に、それ以前から吉武氏が住み着いていたのではなかろうか。

特に注目したいのは、二十位ぐらいまで挙げると、吉武姓の分布が、瀬戸内海の沿岸の広島、岡山、愛媛、香川を経て、近畿の兵庫、大阪、京都へと続いているのが見えて来ることである。さらに琵琶湖のある滋賀県にも吉武姓がある程度いることに留意する必要がある。

次に電話帳登録総数における吉武姓の割合（%）を見てみよう（表2）。

■表1　吉武姓が多い都道府県

「写録宝夢巣」（件数）		
1	福岡	854
2	山口	350
3	大分	278
4	佐賀	137
5	東京	120
6	神奈川	105
7	長崎	90
8	大阪	88
9	熊本	80
10	千葉	66
11	埼玉	65
12	愛知	54
13	兵庫	44
14	鹿児島	37
14	広島	37
16	香川	32
17	岡山	31
18	北海道	30
19	京都	25
20	愛媛	21
21	滋賀	20

「姓氏語源辞典」（約・人）		
1	福岡	4500
2	山口	1700
3	大分	1400
4	東京	700
5	佐賀	600
6	大阪	600
7	神奈川	600
8	長崎	500
9	千葉	400
9	熊本	400
9	埼玉	400
12	愛知	300
12	兵庫	300
14	広島	200
14	鹿児島	200
14	岡山	200
14	香川	200
14	京都	200
19	北海道	140
20	愛媛	110
21	滋賀	100

■表2　吉武姓の割合が高い都道府県（%）

「写録宝夢巣」※		
1	福岡	0.111
2	大分	0.101
3	山口	0.096
4	佐賀	0.076
5	長崎	0.027
6	熊本	0.021
7	香川	0.014
8	鹿児島	0.009
9	東京	0.008
9	神奈川	0.008
9	滋賀	0.008

「姓氏語源辞典」		
1	福岡	0.102
2	大分	0.100
3	山口	0.0958
4	佐賀	0.0725
5	長崎	0.0304
6	熊本	0.021
7	香川	0.0138
8	鹿児島	0.00875
9	千葉	0.0082
10	東京	0.00806
11	神奈川	0.00798

※件数しか出ていないので割合は筆者が計算した

■表3　地方別・吉武姓の割合が高い都道府県
（「姓氏語源辞典」による、%）

地方	順位	都道府県	割合
九州地方	1	福岡	0.102
	2	大分	0.100
	3	佐賀	0.0725
	4	長崎	0.0304
	5	熊本	0.021
	6	鹿児島	0.00875
中国地方	1	山口	0.0958
	2	岡山	0.00793
	3	広島	0.00721
四国地方	1	香川	0.0138
	2	愛媛	0.00615
近畿地方	1	大阪	0.0076
	2	滋賀	0.00747
	3	京都	0.00582
	4	奈良	0.00534
	5	兵庫	0.00517

北部九州と山口で吉武姓が集中的に多いことが一層明確に出ており、大都市圏の都府県は順位が下がっている。大都市圏では人口が多いから吉武氏の数は多く出るが、割合は低くなる。吉武氏の数は山口県が多いが、割合では大分県が逆転する。大分県の方が古くから吉武氏が住んでいたことを推測させる。

次に「姓氏語源辞典」の数値で、地方別に割合の高い順に並べてみる（表3）。

福岡県で最も割合が高く、隣接県がそれに続き、離れるに伴って吉武氏の割合が減っていく傾向が明らかである。北部九州から瀬戸内へ、そして大阪、京都へと割合が下がっている。これは、吉武姓が伝播して行く方向を示しているのではないかと思う。

首都圏は、吉武氏は多いが分散居住しているので、近代になってからの移動が大多数であろうと考えて除外した。

第四節　吉武姓が多い市町村

1 市町村別の人数推計

「姓氏語源辞典」で吉武姓が約百人以上と推定されている市町村は表4のとおりである。

当然ながら、県レベルの場合と同様に、吉武という名字は、福岡県、大分県、山口県の市町村で多い。政令都市は区別に人数が出ているのであまり目立たない。各区の人数を合計してみると、北九州市が約七四〇人となり、福岡市は約六五〇人となる。同様にして計算すると、広島市約一一〇人、神戸市約百人、大阪市約一六〇人、京都市約六十人となる。ただし、これら各区の人数の合計の際、数値の明らかでない「ごく少数」という区は除外している。

■表4　吉武姓が約100人以上と推定される市町村
（「姓氏語源辞典」による、約・人数）

市町村	人数	市町村	人数
山口県防府市	1000	福岡県行橋市	200
福岡県宗像市	500	福岡県筑後市	200
大分県国東市	500	長崎県長崎市	200
福岡県久留米市	400	山口県宇部市	140
大分県大分市	300	福岡県福岡市東区	130
福岡県北九州市八幡西区	300	福岡県みやこ町	130
佐賀県佐賀市	300	福岡県北九州市小倉南区	110
熊本県熊本市	200	大分県別府市	100
山口県山口市	200	福岡県大木町	100
福岡県大牟田市	200	佐賀県伊万里市	100
山口県山陽小野田市	200	山口県下関市	100
福岡県福岡市南区	200	福岡県福岡市早良区	100

少し広域で見ると、南筑後の吉武姓がかなり多い。筑後市に約二百人、大木町に約百人、大牟田市に約二百人、大川市と柳川市に各々約六十人の吉武氏がいるので、南筑後の吉武氏は合計六二〇人となる。久留米と南筑後の合計では一〇二〇人になる。筑後地方は吉武氏の集中度が高い地域である。

次に吉武姓の割合が高い市町村を見てみよう（表5）。

二つの調査の間では、微妙に異なっているところはあるが、概ね一致していると見てもよいであろう。

ここでも、福岡県、大分県、山口県で高いことは明らかである。また、吉武氏が人口の一％を超える所は極めて例外的であることが分かる。

人数で上位にある八位の熊本市と十位の大牟田市が、割合ではかなり下位に下がっている。特に熊本市は、「写録宝夢巣」では〇・〇三六％、「姓氏語源辞典」でも〇・〇三二七％と少ない。

■表5　吉武姓の割合が高い市町村（%）

「写録宝夢巣」※		
1	大分県国東市	1.005
2	福岡県宗像市	0.842
3	福岡県大木町	0.737
4	山口県防府市	0.716
5	福岡県みやこ町	0.458
6	大分県九重町	0.448
7	鹿児島県長島町	0.424
8	大分県玖珠町	0.374
9	福岡県筑後市	0.361
10	福岡県行橋市	0.209
11	福岡県直方市	0.194
12	山口県山陽小野田市	0.188
13	佐賀県伊万里市	0.178
14	福岡県大川市	0.160
15	佐賀県佐賀市	0.158
16	福岡県久留米市	0.155
17	福岡県北九州市八幡西区	0.152
18	福岡県中間市	0.149
19	香川県さぬき市	0.135

「姓氏語源辞典」		
1	大分県国東市	0.977
2	福岡県大木町	0.745
3	山口県防府市	0.716
4	福岡県宗像市	0.676
5	福岡県みやこ町	0.46
6	大分県九重町	0.442
7	鹿児島県長島町	0.441
8	大分県玖珠町	0.381
9	福岡県香春町	0.356
10	福岡県筑後市	0.345
11	福岡県小竹町	0.23
12	福岡県行橋市	0.219
13	山口県山陽小野田市	0.202
14	福岡県古賀市	0.183
15	福岡県苅田町	0.178
16	福岡県福津市	0.16
17	佐賀県伊万里市	0.154
18	福岡県田川市	0.152
19	佐賀県佐賀市	0.149
20	福岡県久留米市	0.147

※件数しか出ていないので割合は筆者が計算した

2 吉武氏は海辺の町に分布

市町村別に吉武姓の多さを見て、一番目立つのは、防府市の吉武氏の多さである。山口県では山口市を除けば、山陽小野田市、宇部市、下関市にも吉武氏が多い。いずれも港町である。

防府市は長州水軍の基地があった町である。ちなみに、伊万里市も佐賀藩の水軍基地があった所である。

博多湾は大きく深い湾であり、いくつもの良港がある。古くから大陸との交易の拠点であった。糸島半島の東岸、福岡市西区の唐泊や北崎のあたりは水深があって天然の良港である。半島の根元に周船寺という所があるが、これは、平安時代の「主船司」という役所の名を残しているのではないかといわれている。主船司は、官物輸送の船を管理した役所と思われる。

大分県でも国東市、大分市、別府市には古くからの良港が多い。瀬戸内海を経て山口、愛媛、神戸、大阪へ行く船が出る大きな港がある。

その他の表4と表5に挙げられている市町村でも港がある町がかなり多い。吉武氏は元来は、漁業や海運に関係する人たち、海に生きる人たちが多かったのではないかと想定する。

吉武氏の割合を見ても、吉武氏が海の民であったのではないかという思いは次第に強くなる。福岡県古賀市、福津市、行橋市、苅田町、鹿児島県長島町、山口県防府市、山陽小野田市、佐賀県伊万里市など、吉武姓の割合が高い地域は海沿いの地域である。

鹿児島県長島町は、天草諸島の南端の島であり、昔は肥後国に属していた。漁業の島である。南九州には、長島町を別とすれば吉武姓は極めて少ない。

3 小地区別の調査

「姓氏語源辞典」では、市町村内の小さい地区別でも吉武姓の多い所が分かるようになっている。この小地域ごとのデータは、他のサイトにはなく、大変有益である。

小地区別の数値は煩雑になるので略すが、例えば、防府市の小地区別を見ると、田島地区に吉武氏が多い（約九十人）。田島地区は港がある所である。

また、筑後で吉武姓が多いのは、久留米市城島町下青木、筑後市井田、三潴郡大木町の蛭池や侍島、柳川市立石地区である。市ごとに吉武姓の数の多寡を見ていたのでは気がつかないが、実は、これらの地域は、市町を越えて一まとまりの地域であり、共通の歴史を持っている可能性があることに気づく（第二部第二章第四節に詳述）。

鹿児島県長島町でも、吉武氏は、ほとんど平尾地区に集中している（約八十人）。平尾地区には茅屋（ぼや）漁港がある。現地調査をすると、長島の吉武氏はこの港の周辺に集中していることが分かる。長島の吉武姓の人たちは漁業を主として生活している人たちであると思われる。

吉武姓が多い地域やヨシタケの地名がある地域について調査・考察するときは、吉武姓の多い小地区を重点的に見るように努めた。

4 吉武と吉竹

吉武も吉竹も同じヨシタケという地名に起源を持つ名前と思われるが、ここで、吉竹姓についても、インターネット上に公表されている数値を見ておく（表6）。

「姓氏語源辞典」では、吉武姓は全国に約一万四四〇〇人いるが、吉竹姓は約三二〇〇人でかなり少ない。両者の分布状況を比較すると、福岡県が最も多いという点は共通しているが、吉竹姓の場合は福岡県に次いで近畿地方で多いという違いがある。九州では、福岡県の他は、全国七位に佐賀県（約百人）、十三位に大分県（約六十人）、十七位に熊本県（約五十人）、十九位に長崎県（約三十人）、二十五位に宮崎県と鹿児島県（各約二十人）となっており、北部九州に多い。吉武姓と同じである。

また吉竹姓は、福岡県では北九州市（約二六〇人）、行橋市（約八十人）、みやこ町（約八十人）、福津市（約三十人）、田川市（約三十人）など、豊前地区とその隣接地域に多い。参考までに福岡市は約七十人である。兵庫県の吉竹氏は、丹波市（約四百人）に突出して多い。中でも丹波市下小倉（しもおぐら）に多く、次いで柏原（かいばら）、上滝（かみたき）、多田などの地区に多いようである。九州では、佐賀県が約百人で福岡県に次ぐが、両県の差は大きい。佐賀県内では鳥栖市は四十人、佐賀市と武雄市が各々約二十人である。

吉竹姓は、瀬戸内海沿岸の地域、例えば山口県下関市や広島市安佐南区にもあり、吉武姓と共通して海の民らしい傾向も見える。大阪湾から京都に行く川沿いの市にもある。一方、兵庫県の丹波市や京都府福知山市（約三十人）のようにかなり内陸部で多い市もある。

なお、地名については吉竹が多い。吉武という地名は、現在は福岡市西区吉武と大分県豊後高田市長岩屋吉武の二カ所しかない。吉武氏が開墾して吉武と名付けた場合は別として、自然発生した地名としては、元は吉竹であったはずで、中世（戦いの時代）には吉武と書かれることが多くなったが、その後、地名は再び吉竹に戻った所が多い。

■表6　吉竹姓の状況

「名字由来net」　全国順位：3691位（およそ3300人）

都道府県順位（およそ人）		
1	福　岡	970
2	兵　庫	720
3	大　阪	340
4	東　京	130
5	京　都	130

市町村別順位（およそ人）		
1	兵庫県丹波市	450
2	福岡県北九州市小倉南区	100
3	福岡県みやこ町	100
4	福岡県行橋市	90
5	福岡県北九州市若松区	80

「姓氏語源辞典」　全国順位：3714位（約3200人）

都道府県順位（約・人）		
1	福　岡	800
2	兵　庫	600
3	大　阪	300
4	京　都	200
5	北海道	130
6	東　京	120
7	佐　賀	100
8	千　葉	90
9	広　島	80
10	神奈川	80

市町村別順位（約・人）		
1	兵庫県丹波市	400
2	福岡県北九州市小倉南区	90
3	福岡県みやこ町	80
4	福岡県行橋市	80
5	福岡県北九州市若松区	70
6	福岡県飯塚市	50
7	兵庫県西宮市	50
8	福岡県北九州市八幡西区	50
9	佐賀県鳥栖市	40
10	大阪府枚方市	40

なお、ヨシタケと読む人名としては、吉武、吉竹の他にも、儀武、善竹、芳竹、芳武、好竹、義武、吉岳などがあるが、これらは人名でも極めて少なく、地名にはないと思う。これらも元の形は「吉竹」であったのではなかろうか。名字に関しては、昔は分家するときに、本家と分家で名字を書き分けるということがしばしば行われてきたので、その結果こうした多様な表記ができたのではなかろうか。

第四章　吉武氏は海の民

第一節　海沿いに分布する吉武姓

前章で見たとおり、吉武氏が多く住んでいる地域を調べると海沿いの地域が多い。

吉武という名字が海辺に多いことは、岬茫洋氏も『九州の苗字を歩く　大分・宮崎編』（梓書院、二〇〇八年）の中で指摘されている。国東半島に多い吉武、徳丸、国広という姓は海辺に多い名であるという。そして「吉武姓は、山口、福岡、大分各県に見られる姓で、伊予（愛媛県）の村上海賊の将に吉武壱岐がおり、裔は長州藩士になっている。出自では筑前国早良郡吉武名（福岡市）、加賀国能美郡吉武村など」と述べられている。

吉武姓が最も多い福岡県から、瀬戸内海を経て、大阪・京都に至る航路の沿岸に吉武姓が分布しているように思われるので、この航路に沿って分布状況を見てみよう（表7）。博多湾から瀬戸内海、神戸、大阪、京都という海路に沿ったA地域と、そのコースから外れたB地域とに分けて示した。福岡県・山口県・大分県の内陸部や山口県・京都府の日本海側はB地域とした。ただし、念のために補足すると、B地域が都への海運に関係がないというわけではない。例えば、福岡県ではB地域の筑後川沿岸部から有明海へ出て玄界灘に迂回する水路や、遠賀川から響灘や洞海湾に出る水路があり、これらの地域も水運で大いに繁栄していた歴史がある。

■表7　福岡－京都間の吉武姓分布

・Aは玄界灘・瀬戸内海沿岸部、Bは内陸部及び日本海沿岸部など
・地名の後の数値は、約の人数である
・ごく少数しかいない地区は除外した
・人数は「姓氏語源辞典」による

県	区分	分布
福岡県	A	糸島市20／福岡市西区60／同早良区100／同博多区60／同南区200／同東区130／古賀市80／福津市90／宗像市500／岡垣町40／北九州市戸畑区30／同若松区60／同八幡東区80／同八幡西区300／同小倉北区70／同小倉南区110／同門司区90／苅田町60／行橋市200／築上町30　（計2310）
	B	久留米市400／筑後市200／みやこ町130／大木町100／春日市70／中間市70／飯塚市70／香春町60／嘉麻市50／大野城市50／大宰府市50／筑紫野市40／小郡市30／うきは市30／大川市60／柳川市60／小竹町30ほか　（計1500）
山口県	A	下関市100／山陽小野田市200／宇部市140／防府市1000／周南市50／下松市10／柳井市10／岩国市20　（計1530）
	B	山口市200／萩市80／美祢市20／長門市20　（計320）
大分県	A	中津市70／豊後高田市50／国東市500／別府市100／大分市300　（計1020）
	B	玖珠町90／九重町70／日田市20　（計180）
広島県	A	廿日市市20／広島市中区20／同安佐南区20／同東区30／同南区10／同佐伯区10／海田町10／呉市10／尾道市30／福山市20　（計180）
岡山県	A	倉敷市30／岡山市60／玉野市20　（計110）
	B	井原市40　（計40）
愛媛県	A	今治市70／松山市20　（計90）
香川県	A	さぬき市80／三木町10　（計90）
兵庫県	A	姫路市10／高砂市10／加古川市10／播磨町10／明石市20／神戸市北区40／神戸市西区10／同長田区10／西宮市30／尼崎市20　（計170）
	B	宝塚市20／川西市20／伊丹市10／猪名川町10　（計60）
大阪府	A	大阪市大正区20／同平野区20／同東淀川区20／同淀川区20／同西成区20／堺市80／寝屋川市30／豊中市30／茨木市30／高槻市30／東大阪市30／枚方市20／泉佐野市20　（計370）
京都府	A	京田辺市20／八幡市10／宇治市20／京都市伏見区10／同中京区10／同南区10／同右京区10／同山科区10／同左京区10　（計110）
	B	舞鶴市10　（計10）

B地域の吉武姓も多い。しかし、それでもA側により多くの吉武姓があるという傾向は明らかである。なお、原則として約二十人以上の市町村を西から東の順で並べている。香川県、京都府など、吉武姓が少ない地域は「約十人」も拾った。人数の推計は「姓氏語源辞典」による。

表にあるように、福岡県から京都府まで、瀬戸内海航路に沿って吉武姓が分布している。

そして、吉武姓の人数は、福岡県で圧倒的に多く、福岡県からの距離が遠くなるにつれて少なくなる。大阪府のような大都市では、名字の自然伝播を超えた経済的要因による人口移動が起きているので岡山や兵庫よりも多くなっているが、基本的には福岡県から離れるにつれて少なくなっていると見てよいであろう。吉武姓は福岡県で始まり、周囲へ広がって行ったと見る。広がり方としては、南九州や山陰側に吉武姓が少ないことから、全方向に等しく広がったのではなく、瀬戸内海を経て大阪・京都に至るルートに沿って伝播していったと考えられる。したがって、吉武を名乗った人々は、福岡県の海辺に住んで、農業を基本としながらも、船を持ち、漁業や海運などに従事していたのだろう。

江戸時代の長州藩には、船頭など水軍に所属することが明らかな役職名の吉武姓の武士がいたことが人名辞典（『姓氏4000歴史伝説事典』〔前掲書〕など）に記載されている。また、インターネット上のデータベースでも、長州藩と佐賀藩については吉武姓の藩士の名が確認できる。例えば、佐賀県立図書館が提供しているデータベース（佐賀藩の弘化二年〔一八四五〕の藩士名簿『弘化二巳総着到』に基づく）では、船頭や手舸子（てかこ）などの吉武姓の藩士が、佐賀藩水軍基地があった伊万里市山代町楠久（くすく）に十二名おり、また佐賀城下から幕末に設置された三重津（みえつ）海軍所周辺にかけての地域に十名がいたことが確認できる。山口県についても佐伯隆氏が提供されている「萩藩在郷諸士／陪臣データベース」（天保十三年〔一八四二〕の長州藩の地誌『防長風土注進案』に基づく）において、現在の山口市や山陽小野田市、周南市（徳山）に吉武姓の武士がいたことが確認できる。「山口きらめーる」というサイトでは、寛政年間（一七八九〜一八〇一）に三田尻（防府市）に「中船頭」という役職の吉武多熊という武士がいたことが出ている。戦国時代に瀬戸内海で勢力があった村上海賊にも吉武氏の名前があったと書いた資料がある（『全国名字大辞典』前掲書）。このようなことも、「吉武」は海の民の名字であったことを示唆しているように思われる。

吉武と名乗る人々が現れたのは平安時代の九世紀半ば以降のことであると思われるが、そのころには瀬戸内海の海上輸送も盛んになっていたと考える。第二部で述べるが、大木町（吉武姓が多い）の広門神社が摂津の住吉神社から勧請されたのが元慶二年（八七八）であったこともその傍証となる。そのころ筑後国三潴郡の人々は有明海と畿内の間を船で往復していたのである。そして寄港地における海民相互の交流を通じて、十世紀には九州から近畿までの沿岸部に吉武という名字の人たちが広がったのではなかろうか。

第二節　平安時代における海運の発達

船が小さかった古代においては海上輸送はリスクが大きかった。そのため、律令制下では、官物（租庸調の税物）の輸送はできるだけ陸上輸送によることとされていた。しかし、米、塩、鉄のような重量物は馬などによる陸上輸送では効率が悪すぎるので、実際には船による輸送が、奈良時代から、政府の許可の下で行われていたようである。

杉山宏氏によれば、豊前と豊後の間では任意に官物を船で送っていたが、天平十八年（七四六）に、これを以後厳禁するという命令が出されたという。これは私的な海上輸送を制限する趣旨ではなく、政府の許可を得ないで官物を海上輸送することを禁止したものと解釈されている。天平勝宝八年（七五六）になると、太政官は、山陽・南海諸国に対して、米穀の輸送は海路によるべしとする命令を出したことが『続日本紀』にあるとのことである。これも公租米の輸送についての命令であろう。さらに平安初期の延暦十五年（七九六）には、公私の船の往来が増加した実情に合わせて、航行の制限がゆるめられたという（杉山宏『日本古代海運史の研究』法政大学出版局、一九七八年）。

そして弘仁十一年（八二〇）には、「弘仁式」において、瀬戸内海沿岸諸国からの諸税物の海上運送が公的に規定されたという。「弘仁式」の施行の時期については明確ではないようであるが、その後実情に合わせた修正が加えられて施行されたらしい。こうした経緯をたどって、律令国家の海上運送制度は、最終的には平安中期の延長五年（九二七）『延喜式』において整理・集約された（松原弘宣『藤原純友』吉川弘文館、一九九九年）。

こうした都への物資輸送方法の変更の背景には、畿内の人口増加や産業の発達による輸送量の増加があったに違いないが、松原弘宣氏は、前掲書において、この時代における瀬戸内沿岸部における塩の生産の増大に着目されている。そのころ中央貴族や寺院などが瀬戸内沿岸の塩田経営に乗り出したのである。そのため塩の産出量が増え、その輸送手段の確保が重要な課題となったという。

官物の海上輸送が公認された意義は大きい。やがて私的な海上輸送も増加したであろう。課役として地方有力者の私船が官物輸送に動員された場合、帰りには船が空になる場合もあろう。そのスペースは、私的営業に利用されたことが想像される。

平田耿二氏は、『消された政治家・菅原道真』（文春新書、二〇〇〇年）において、「寒早十首（かんそう）」という菅原道真の漢詩を紹介し、彼が庶民の生活をよく理解していたことを示されている。

道真は、仁和二年（八八六）讃岐守に赴任していた。「寒早十首」は、冬が来て寒さがこたえる人は誰かという問いかけに答える形の詩で、「賃船の人」、「魚を釣る人」、「塩を売る人」など十種の人を挙げている。公地公民、班田収授を基本とした律令制であったが、このころには既にその建前が崩れ、農地を失って、水夫として賃金をもらったり、魚や塩を売ったりして暮らす人たちがいたことが分かる。このことは一方には、田畑を買い取って農園を経営したり、浜を買い取って塩田を経営したり、船や網を所有して、人を雇って運送業や漁業を経営したりする人たちがいたことも推測させる。

森鷗外の短編小説の『山椒大夫』に、陸奥（青森県）の太守であった父親が、他人の讒言によって筑紫に流されたので、安寿姫と厨子王が母と共に父の下へ船で行く話がある。越後でだまされて、母と離別し、姉弟は丹後の塩づくりの長者・山椒大夫に売られてしまう。この話から、平安時代に、船を雇って私用の船旅が行われていたことや、塩づくりの工場を経営する富豪がいたことが分かる。これは小説ではあるが、昔から伝わる説話を基にしたとされており、平安時代の社会の状況を反映していると思われる。

平安時代でも後期になると、平氏が宋との貿易を積極的に行ったことによって瀬戸内海の海運が大いに発達したであろう。北部九州と近畿を結ぶ海上輸送は古くから行われており、当然、港は各地にあったであろうが、平清盛は日宋貿易のために、改めて博多から摂津までの港を整備・拡充した。これによって、瀬戸内海の海運はますます盛んになり、吉武姓が瀬戸内海沿岸に広がることになったのではなかろうか。

平安時代の八〇〇年代後半に、名（収税区域）が次第に広がったと思われるが、室見川河畔の今の吉武地区もそのころ名となり、吉武を名乗る負名（名のまとめ役）が現れたであろう。室見川は白魚（シロウオ）漁で有名である。その吉武氏は、半農半漁の有力者で、名の経営責任者であるとともに、網元・船主であったと思われる。

吉武名ができたころには官物の海上輸送も増加していたはずで、負名の吉武氏は船を持っていたので京都への「運脚」（公租を運ぶ役目）を課されたに違いない。「運脚」は役務であり、「ただ働き」であったが、帰路は空船になるから私的な営業もできたであろう。

第三節　海民同士の交流

海の民は律令以前の古い時代から、海岸に沿って広範囲に移動した。

筑紫の国、福岡県は、古代の「海人族」の故郷である。海人族について、はっきりとした定義はないようであるが、律令制度ができる以前の古い時代に、船で航海する技術を持ち、海運、海産物の調達などの役割を担った人たちのことを指す言葉と思われる。

ちなみに、本書では「海民」という言葉を使っているが、これは、古代の「海人族」と区別するために、平安時代以降の海辺の人々を指して「海民」という言葉を使っているつもりである。

博多湾の志賀島などにいた海人族の安曇族の足跡は、滋賀県の安曇川や長野県の安曇野という地名に残っている。手こぎの舟や固定帆船で現代人には考えられない距離を移動した。海の人々の移動のエネルギーには驚かされる。平安時代にも海の民は遠く離れた港の間でも交流があったであろう。

筑紫の古代の海人族として知られているのは、安曇族、宗像族であるが、有明海にも、北九州にも、豊後にも海人グループがあったと想像する。また博多湾の場合は、東岸（志賀島）の安曇族の他に、西岸の海人族もいたのではなかろうか。東岸の海人は志賀海神社に綿津見三神を祀っていた。西岸の海人の神は住吉三神であったのではなかろうか。

博多の住吉神社は全国の住吉神社で最も古い。さらにその元宮は福岡市西部を流れる那珂川の上流にある現人神社である。この地は『古事記』に記された伊邪那岐命の禊ぎの場所であるとも、住吉神が初めて現れた土地だとも伝えられている（三浦譲編『全国神社名鑑』下巻、全国神社名鑑刊行会史学センター、一九七七年）。神社の近くには、日本最古の用水路「裂田溝」がある。この用水路は神功皇后が現人神社の神田を開くために掘らせたと『日本書紀』に記されている。

『万葉集』にある歌の題材となった実話と思われる話であるが、対馬の防人に食糧を届ける仕事を命じられていた宗像の海人・宗形部津麻呂が、自分は高齢で対馬までの航海は無理になったので、志賀島の白水郎荒雄に仕事を依頼した。荒雄はその仕事を引き受け、対馬に行こうとしたが、悪天候で遭難して亡くなってしまった。このことを歌った和歌が掲載されている。当時も、沿岸部の海の民たちは広い範囲で相互に交流があり、友人・知人であったことが分かる。

そういう海民同士の交流の中で、筑前の船乗りが吉武と名乗り始めたことが他の地域にも影響し、真似る人たちも出て、吉武という名字が九州から近畿までの沿岸部で広がって行ったのではなかろうか。

名字の広がりは親族の間だけに限られるものではない。いい名だと思えば誰でもその名を名乗ることができる。日本人は昔から偉い人の名字は遠慮して名乗らなかったが、吉武氏にはあまり偉い人はいないし、まして同じ海運関係者同士の間なら、名前を真似しやすかったであろう。

山口県防府市や愛媛県今治市や神戸などの吉武氏が、すべて筑前から出向いた人たちの子孫とは考えにくい。寄港する先には船に水や食糧の補給などをしてくれる現地の同業者がいたであろう。その同業者たちの中には、筑前の吉武という船主の名前に影響を受けて、吉武を名乗った人もいたであろう。

第四節　澪つくし

ＮＨＫテレビの朝の連続ドラマで「澪(みお)つくし」という番組があった。昭和六十年度（一九八五）の上半期に放送されたものであるが、私は最近になって、この番組が「吉武」という漁師の家のドラマであることに気がついた。令和二年度（二〇二〇）の後半の再放送で初めてこのドラマを見たのである。大正末期から昭和にかけての時代、千葉県の銚子を舞台に、醤油醸造を営む旧家の娘・かをる（沢口靖子）と網元の息子・吉武惣吉（川野太郎）の愛の物語である。作者のジェームス三木氏がどういう経緯で吉武という名を使ったのかは知らないが、おそらく吉武という名字のモデルが、千葉県の銚子あたりの漁業者の中に実際にいたのではなかろうか。

ちなみに、「澪つくし」というタイトルも海民の生活に直結した言葉である。「みお」は昔は「みを」と書き、漢字としては「水脈」を当てることもある。潮が引くとき、沖合へ流れる水路のことで、その水路部分は深くなっている。「みおつくし」は、「澪つ串」（みおのクイ）のことである。「澪標」とも書き、船が座礁しないように、安全に通れる深さのある水脈を示したクイ、つまり航路標識のことであるらしい。「澪つくし」は「身を尽くし」をも連想させるので、恋愛や人生航路において、自己を捧げる対象、転じて生きていく上での心の拠り所の意味でも用いられるようであり、『万葉集』にもいくつか用例があるようである。この番組のタイトルもおそらく主人公の人生航路の意味なのであろう。朝ドラの中でも出色の、なかなか見応えのある番組であった。

千葉県に吉武氏は多く、「姓氏語源辞典」では約四百人と推計されているが、現在は内陸の都市部（千葉市、市川市、松戸市）や工業地帯（君津、木更津など）に多い。銚子など、海岸部には吉武氏はほとんどいないようである。海岸とはいえないが海から遠くない夷隅郡大多喜町中野地区には吉武姓が見える。千葉県の海岸、特に銚子あたりにも元々は四国や九州の吉武氏が船で来て、住み着いていた可能性は考えられる。かつては千葉県の海民の中に吉武氏がいた可能性は高いと思う。ちなみに銚子市の北隣の茨城県神栖市の電話帳にも吉武姓が見える。

第五章 名前の歴史――吉武姓にもふれて

既に海運の歴史に入ってしまい、名のことにまでふれたが、吉武という名字がいつごろ始まり、どのように広がったかを考えるには、やはり関連する名前の歴史を知らなければならない。

第一節 古代

1 氏姓制度

名前の歴史となると、やはり古代の氏姓制度から始めなければならない。今、私たちは名前のことを氏名とも姓名ともいうが、氏と姓の本来の意味を考えることはあまりない。

我が国の漢字使用慣例をよく解説している『新明解現代漢和辞典』(三省堂、二〇一九年)によると、「『姓』は血すじ・家系を、『氏』は尊卑や職掌などによる家柄をあらわし、両者は区別されたが、漢代以後、『姓』と『氏』とは混用されるようになった」と記す。漢代とは、前漢の始まりから後漢の終わりまでの時代であろうから、紀元前二〇六年から紀元後二二〇年までの時代である。日本では弥生時代である。

我が国で氏姓制度が始まったのは古墳時代初期の時代で、早くても四世紀末ぐらいからと考えられているので、そのころには、既に漢字の本場の中国人も、氏と姓の使い分けがあやしくなっていたようである。

ヤマトの朝鮮半島への進出を記録する広開土王の碑文（好太王碑）は四一四年建立とされている。応神天皇陵の築造は五世紀前半とされ、また仁徳天皇陵は五世紀中ごろに築造されたと推定されている。こうしたことから、五世紀前半にはヤマト王権が畿内に立てられていたと考えられる。

ヤマト王権は、王に仕える臣たちの出自と身分を明らかにするために氏姓制度を作った。王権を支えている中央貴族と地方の豪族に、それぞれの血族集団を「氏」としてその名を与え、また支配機構の中における地位を表すものとして「姓」を与えたのである。これは、漢和辞典の説明とは逆であった。血族集団の名こそ本来は「姓」と呼ぶべきであり、地位・職掌こそ「氏」と呼ぶべきだったのである。

この氏姓制度は律令制ができるまで続く。

古代ヤマト王権の氏は、父系の血族集団の名前である。古代においては氏の先祖の祭祀は男系男子が行う慣習であった。皇室では現代までこの伝統が守られている。

氏の名前は、元をたどれば、職種か地名に由来していた。職種由来の名前としては、大伴、物部、土師、忌部などがあった。地名由来の名前としては、葛城、蘇我、平群、藤原、田中などがある。

姓は、各氏族の王権の中における地位の称号である。臣、連、真人、宿禰は、中央豪族（貴族）の称号であり、君、直（「あたえ」とも）、造、首、村主、史などは地方豪族に与えられた称号であった。

ヤマト王権における人事は、これらの氏と姓の世襲を基本としつつ、必要に応じて人材登用が行われたのであろう。

飛鳥時代後期の六八四年に「八色の姓」が定められた。古い多くの姓を整理して、真人、朝臣、宿禰、忌寸、道師、臣、連、稲置の八つにまとめたのである。

氏姓を与えられた氏族はごく少数の特別な階層であった。吉武という名前は、古代の氏や姓とは無縁の名前である。

2 部民

古代の庶民の場合には、氏姓は与えられず、王権や豪族に奉仕する役割・職種ごとの集団として、部民（「べのたみ」とも）に編成されていた。庶民は、「○○部」という部の名前が氏姓に代わる役割を果たしたのである。

部民の名に起源を持つ名字としては、渡部、矢部、占部、綾部、服部など部が残ったものもあるし、鳥飼、犬養、矢作、錦織、鵜飼、春日、日下、久米など、部が取れた形で残っているものもある。

平成二十四年（二〇一二）に太宰府市の国分松本遺跡で、飛鳥時代の七世紀末の戸籍と推定される木簡が発掘されている。木簡には「建部身麻呂」など十六人の戸籍が記載されていた。名前の他、職種、身分、続柄なども記載されていた。「嶋評」の戸籍であったが、嶋評は、後の志摩郡、現在の糸島市の一部に当たるとされている。評とは「ひょう」あるいは「こおり」と読むが、地方行政組織が「国・評・里」の時代のもので、大宝律令後は「国・郡・里」となった。なお、「里」は後に「郷」に変わる。

筑紫は、朝鮮・中国との国境の最前線であることから、六世紀には「那津官家」が、七世紀初頭には「筑紫大宰」が置かれた。奈良時代、筑前には四軍団（各千人）が置かれた。そのうち御笠軍団と遠賀軍団の印が大宰府市内から出土している（東京国立博物館蔵）。

軍団の近くには部民として建部が置かれていた。建部は、平素は農業や漁業などの生業に従事しているが、いったん事があれば、兵士として動員される部民であった。「壬申の乱」でも動員されている。筑前には建部と称する戸が古くからあった。建部が吉武に変化したのではないかという仮説も考えてみた。

「建」という文字は、今では建築をイメージしやすいが、古代では「建」は「武」の意味でも使われていた。そもそも建部は、倭建命（日本武尊）の名を残すために設けられた名代部であるとも伝えられている。彼の死後、その功績を伝えるために、父親の景行天皇が「武部」を設置したと記録されている（『日本書紀』景行天皇四十三年の条）。

現在も建部という名字がある。「名字由来ｎｅｔ」では、全国順位三三二四位、全国人数およそ三九〇〇人となっているから吉武よりはだいぶ少ない。武部氏や竹部氏なども建部と同根で、表記の変化と見てよいだろう。

しかし、結局、建部は吉武の語源ではなさそうである。吉武と建部では分布地域が違いすぎるのである。吉武は福岡、大分、山口に多いが、これらの地には現在、建部氏はほとんどいない。建部氏は九州には少なく、岡山以北に多い名前である。地名では滋賀県東近江市建部や岡山市北区建部町がある。人名も滋賀県や岡山県で建部氏が多い他、東京、大阪、名古屋といった大都市に多い。

3 律令制定と姓の形骸化

「乙巳の変」（六四五年）から始まる一連の改革を「大化の改新」というが、この改新は、唐（中国）を手本とした律令制による中央集権国家の樹立を目指したものであった。そして、七〇一年に大宝の律令が完成したことで、その国家体制が一応完成した。

律令制下では、公地公民制が導入され、民には一律平等に田を支給し（班田）、租庸調などの公課も一律平等に課すこととなった。組織的な統治機構が定められ、官職と位階の制度が定められた。

位階制度としては、西暦六〇三年に「冠位十二階」という制度が作られていた。この制度は、姓のような氏族単位で世襲する階級ではなく、個人単位で位階を与えて昇進もさせるもので、官吏（かんり）の志気を高め、能力本位の官僚制を作り上げることを狙いとしていたといわれている。律令では、この趣旨がさらに徹底され、官職と関連づけられた新しい官位制度となった。職務の世襲を避け、適材適所を目指した人材登用制度であった。これによって、世襲を前提とした姓は形骸化した。

人材登用のシステムとしては、中国の科挙のような試験制度を設けることも検討されたが、結局採用されなかった。我が国で試験による官吏登用が始まったのは、明治になってからである。

姓が形骸化したきっかけがもう一つある。奈良時代に朝廷は、功績のあった貴族への褒賞として「朝臣（あそん）」を積極的に出したようで、その結果、多くの氏族が朝臣を名乗るようになり、姓の意味があまりなくなったのである。

皇族は氏姓を持っていないが、皇籍を離れて臣下となる人々には、天皇から新たに氏姓が与えられた。例えば、弘仁五年（八一四）に嵯峨（さが）天皇の皇子たちが臣籍降下して源氏となり、天長二年（八二五）には桓武（かんむ）天皇の孫たちが臣籍降下して平氏という氏族が生まれた。

氏姓制度の本来の氏と姓の使い分けは平安時代には既にあやしくなっている。『日本三代実録』に、「興基（おきもとの）王（おおきみ）に姓（しよう）源（みなもとの）朝臣（あそん）を賜（たま）ひき」といった文章がある。皇族から臣下（貴族）に下る興基王に、氏姓制度でいえば、源という氏と、朝臣という姓を与えたのであるが、まとめて姓といっているのである（武田祐吉・佐藤謙三訳『訓読　日本三代実録』臨川書店、一九八六年）。

しかし、氏姓制度が形骸化した後も貴族や武士の間では、自らの家系が皇室と近い古代以来の名門であることを誇る気持ちから、古代の氏姓を名乗る慣習が後世まで長く残った。特に朝廷では、江戸時代まで、公的な場面では古代の氏姓と律令制下の官位が生きていた。

第二節　中世

古代と近世の間にある時代を中世という。日本史では、通常、鎌倉時代から室町時代までを中世という。しかし、近年は、武家が力を持ち始めた平安時代後期から武家の秩序が完成した戦国時代の終わりまでを中世と見る考え方もある。例えば、中世史の専門家、東京大学教授の高橋典幸氏が編集された『中世史講義　戦乱篇』（ちくま新書、二〇二〇年）は、保元元年（一一五六）の保元の乱から始まっている。

名字の歴史も武士の台頭との関連が深いので、この中世観によることとする。

1 武士の誕生

平安時代には、律令税制が機能しなくなり、政府は深刻な財政難に陥った。奈良時代末期には唐や新羅の脅威も緩和していたので、政府は天長三年（八二六）までに全国の軍団を廃止した。農民からの徴兵は税収減につながっていたので、代わって、郡司層の子弟などで弓馬の技に優れた若者を選抜する健児（こんでい）による諸国兵士制を採用したが、諸国兵士の数は極端に少なかった。都の治安を担う衛府（えふ）や検非違使（けびいし）も定員削減でごく少数になったようである。そのため非常に治安が悪化した。都の貴族は私兵を傭って屋敷を守った。地方でも豪族や有力農民層は自衛のために武装した。彼らは各地で団結して武装集団（群党）を作った。

また、貴族の人数が増えた結果、貴族の家に生まれても官職を得られない人々が出てくる。特に文官は競争が激しかったようである。そのため、当時は貴族に忌避されていた武官を志す貴族の子弟も出て来た。宮中守衛の武者として勤務するうちに、高貴な人との縁を得て出世の糸口をつかんだ武官系貴族もいた。また、大宰府の役人や地方の国司、皇室領荘園の荘官などへ進出する人々も現れた。

平安中期には特に世情は不安定となり、各地で群党・海賊の蜂起があった。天慶（てんぎょう）の乱（平将門（たいらのまさかど）の乱）などで官軍の将として活躍し、名声を得て地方に定着し、地方武士団のリーダーとなった人々もいた。

2 家名から名字へ

家名の名乗りは、まず貴族の間で始まったようである。平安時代の初期からではなかろうか。平安時代になると貴族の人口が増え、氏姓の他に、家の区別が必要になった。特に藤原氏は朝廷の中で勢力を増し、人数が多くなっていた。そこで家の区別のため、三条や九条など、屋敷のある京都の地名を名乗り始める。貴族は、それを家名ではなく「称号」といった。貴族社会では、名前としては、天皇からいただいた古代由来の氏姓が重視され、家名は勝手な称（とな）えにすぎないという考え方であったようである（尾脇秀和『氏名の誕生――江戸時代の名前はなぜ消えたのか』ちくま新書、二〇二一年）。

武士も初期の人々は貴族出身であった。

武士たちは支配する土地の名を家名とした。藤原景通（かげみち）は、十一世紀初めの「前九年の役」で活躍した武将であるが、加賀介（かがのすけ）に任じられ、加賀の藤原家の意味で「加藤」を名乗ったが、彼が「加藤」という名字の初代といわれている。鎌倉幕府の執権となった北条氏は、平氏の家系であったとも、伊豆土着の豪族であったともいわれているが、彼の家が支配した伊豆国田方郡北条の地名から北条を名乗ったという。

家名を「名字」というのは、元来、武士たちの用語であったようである。

既に書いたとおり、名字とは、平安時代の九世紀半ばごろに発生した「名（みょう）」の字（あざな）（通称）のことであって、その地を守ることに命をかける武士が、その地名を自らの家名としたのである。地名が、その地域の支配者

（地頭、荘官、負名（ふみょう）など）の家名・名字にもなったのである。

3 名の発生

九世紀後半から十世紀初めのころに、農村は「名（みょう）」という区域に分けられた。

名の歴史についてはよく分かっていない。名という用語の初出史料は、貞観元年（八五九）の「元興寺領近江国依智荘検田帳」（「東大寺文書」）であるというから、九世紀の中ごろには名は存在していた。ただし、九世紀においてどの程度普及していたかは定かではない。

関係文献を読んでの私の理解であるが、若干の推測も交えていえば、九世紀の半ばごろから、名と呼ばれる農園が自然発生したのではないかと考える。戸籍制度が崩壊して、国司は農民を把握できなくなった。班田収授が行われなくなり、律令税制は崩れる。そういう中で、地域の農民を掌握している有力農民が、国司から任されて一定区画の農地の経営を請け負い、収穫物をまとめて租米として納付したのであろう。農園の名称はその経営者の名前で呼ばれたといわれている。それが、その後、収税のやり方として政府が注目するところとなり、名が収税区として公認された。そのやり方が、寛平・延喜の改革（八八九～九二三）において全国的に導入されたものと思われる。

名の規模は、大小いろいろで、地域差もある。近畿地方では小規模（一～三町程度）で均等であったという。集落に至らない、田地単位の名であり、「名田（みょうでん）」と呼ぶのがふさわしい。一方、九州では名は集落単位で、後に「村」となった地域であった。

名という地域の呼び名は、戦国時代まで残っていたが、農業生産力の拡大や支配者としての武家の台頭によって、その在り方は次第に変化し、自作農が自治的に運営する新しい村に変わり始める。平安時代に名字を名乗り始めた有力農民層は、武士を生み出す基礎階層であったが、武家領主の支配権が確立すると、武士兼有力農民であった層は、専業武士として城下町に住む者と、帰農する者とに分離する。帰農のきっかけとしては、新しい村役人（名主（なぬし）や庄屋など）に任命されて農村に帰る者もいたし、武士としての出世に見切りをつけた人たちもいたであろう。

4 吉武という名字の始まり

「吉武」という名詞が歴史上初めて登場するのは、筑前の地名で、名（みょう）の名称として出てくる。

鎌倉時代の文永八年（一二七一）の飯盛神社（福岡市西区）の古文書に「吉武名（よしたけみょう）」という言葉がある。飯盛神社の大宮司職を務めた青柳家に伝来している「青柳文書」の中の文永八年四月二十七日付け「飯盛宮社領注文」に、飯盛神社の田畑の耕作を請け負っていた集落の名として「吉武名」が数カ所出ている（福岡市博物館所蔵、『新修福岡市史　資料編　中世Ⅰ　市内所在文書』〔二〇一〇年〕所収）。

吉武名の初期の責任者（負名（ふみょう）、名主）は、吉武氏であったと思われる。名の名前はその発足時の負名の名前と一致するのが普通であるからである。吉武名が九世紀後半にできたと仮定すれば、吉武という名字も九世紀後半には筑前に生まれていたと思われる。吉武名が鎌倉時代に存在したことは文書に残っているが、平安時代については根拠となるような史料は見つけていない。ただ、大宰府は、小野岑守（みねもり）の建議により、弘仁十四年（八二三）から「公営田（くえいでん）」の試行を始めていた。大宰府は公領における新しい収税方式の導入に積極的であった。したがって、筑前では名の導入も早かったと私は考えている。おそらく九世紀後半に筑前などから名の制度化が始まり、十世紀初めのころに全国に普及したと考える。

筑前の吉武名はかなり大きい地区である。江戸時代には吉武村であり、明治に金武村と合併してからは大字吉武となった。

平安時代の筑前の吉竹地区に仮に田麻呂という有力農民がいたとしよう。彼は、名のまとめ役である負名に指名されて、初めは地名を冠して「吉竹の田麻呂」と名乗り、請書（うけしょ）にもそのように署名していたであろう。そして、後に自家の武運を祈って、「竹」を「武」に改め、「吉武田麻呂」と名乗ったのではないか。そして名の名前も「吉武名」となったのではあるまいか。

なお、名の経営と納税を請け負った有力農民を負名といった。負名は初めは任期制であったようであるが、やがて固定化し、名主（みょうしゅ）と呼ばれる階層となる。

仮説ではあるが、地名としては「アシタケの所」→「ヨシタケの所」→「ヨシタケ」となったと考えられるので、「吉竹」が元の表記であったと思う。自衛のため武力を持った有力農民層は、武士化して行く過程で、「吉竹」よりも、武運長久につながる「吉武」を好んだと考える。まったくの想像であるが、福岡市吉武地区も、元は「吉竹」であったのではなかろうか。名主の武装化、武士化が早く、平安時代末期には地名も「吉武名」になっていたと推測する。

名は必ずしも一人の有力者に任せたものばかりではなかった。日田市大肥町の吉竹地区は、室町時代の一三四〇年ごろには「吉武小犬丸名」と呼ばれていた記録があるが、ここは吉武氏と小犬丸氏の二人で管理していた名であったのだろう。

犬はたくさんの子を産み、繁殖力があるので、よく作物が実る土地になってほしいという願いを込めて、開墾した田畑に「犬丸」という名を付けたといわれている。犬丸という地名がまずあって、さらに少し新たな開墾地が加わったときに、小犬丸という地名ができたと考えられる。やがてそれらが名字になった。

犬丸と小犬丸という名字は、全国的には珍しいが、北部九州では珍しくない。「姓氏語源辞典」によれば、犬丸は福岡県で約七百人、大分県で約八十人、佐賀県で約五十人、小犬丸は大分県で約五十人、福岡県で約三十人、佐賀県で約十人となっている。

犬丸の「丸」は、区画の意味で使われているが、元は川の中洲や自然堤防の盛り上がった楕円形の丸い地域を意味したのではないかと思う。島と同じである。いつからか広く区画、縄張りの意味に変化し、城の本丸、二の丸などという用語になったのではないか。福岡県内には、太郎丸から五郎丸、田主丸(たぬしまる)までたくさん丸の付く地名があるが、これらは皆、川の近くにある地名である。

5 契約の普及と名字

平安時代の九世紀ごろから、有力農民層は契約を行うことが増えたと思われる。

名の経営を担った有力農民は、国衙(こくが)(今なら県庁)との間で税のとりまとめの請書(請文)を提出した。この請書には当然、名の名前と請負者の名前が必要であっただろう。また、この時代には商業、手工業も次第に発達し、物品の交易が盛んになったが、有力農民層が工房の経営者であり、かつ商取引の担い手でもあった。取引契約のためにも、名字の必要性が高まり、富農層・名主層に名字が普及したものと思われる。

負名・名主層の納税の仕事は単純ではなかった。国衙からは、年間を通じてたびたび行事費用や建物改修費用などの割り当てがあり、さらに労役が課される。稲の収穫後、租を納めるときや調庸の残額を支払うときには、既に納めた稲や絹・綿・布などの諸物資を所定の交換比率で換算して、控除してもらわなければならない。「年末調整」である。負名・名主層には、こうした事務を正確に処理する能力が求められた。当然、読み書き計算の習得が必須であったはずである。

手工業や商取引については、平安時代はほとんどの取引が物々交換の時代であるが、取引量が大きくなると物を運ぶのは大変なので、支払いは実際には書き付け（手形）で行われていた。そういう契約書類を書くときに、名字が必要になった。初めのうちは、名字がなければ住所の地名を「上の名」として書いたであろう。それで自然に地名が負名の名字になったのであろう。

寛平から延喜にかけて（八八九〜九二三）の行革の時代に、国衙は、古くからの地方豪族の既得権益を排除するために、名の責任者から郡司などの古い既得権層を外して、もっと下層の新興農民層に負名の範囲を広げたようである。こうした動きが、さらに名字を持つ家を増やしたのではないかと思われる。

名の名前は、初代の負名ないし名主の名前で登録されていた。そして概ねその名字は元々その土地の名前でもあったので、名主が交代しても名の名前は変更されなかった。そのため、名の字（あざな）は集落の名として固定化し、長い年月を経て、現代まで地名として残っている所も多い。

名は、その後、中世において武家領主の支配力が強くなると徴税のやり方も変わり、単なる地域の区画でしかなくなったと考えられる。名の在り方は時代とともに変化していくが、地区名としては戦国末期まで続いたという。九州では、現在でもまだ「○○名」という地名がかなり多く残っている。九州の名は、集落としてのまとまりを持っていたために地域名として残ったのであろう。

例えば、長崎県の諫早（いさはや）市や島原半島の南岸、鹿児島県などに、上名（かんみょう）、下名（しもみょう）など名が付く地名がある。近年では、いよいよ、名では分かりにくいということで、名をやめて「町」などに置き換える地名変更を進めている地域もあるようである。

6 名字の普及

名（みょう）という農村の在り方は、平安時代前期（九世紀の終わり頃）から鎌倉時代、そして室町時代まで長く続いたが、その実態は徐々に変化した。

源平争乱の時代を経て、鉄の生産力が格段に高まり、鎌倉時代には鉄製農具の価格が下がって普及した。鎌倉時代は、農耕への牛馬の使用や、肥料の進歩、二毛作といった農業技術の進歩がめざましかった。生産性が上がった農村では、名主の支配の下から抜けて自立する農民が増えた。次第に「百姓」と呼ばれる自作農民が増加した。自作農たちは積極的に新田開発を進め、新しい村が増えた。新しい村づくりでは旧勢力は排除され、村落の自治が広がる。

鎌倉時代後期ごろから農村は自治的な村、「惣村（そうそん）」になって行く。「惣」は「総」の意味で、自作農民の総会で運営していく村のことである。惣村は、南北朝時代が終わる頃には全国に普及していたという。

新田開発が進んだこの時代に、新村、古村、西村、中村、北村、上村、下村、島村、高村など、村が付く地名・人名が増えたといわれている。自作農民は各々が経営者となったので名字を名乗り始め、人々の名前も多様化した。

戦国大名は町で「楽市楽座」を実施して、地域経済の活発化を図った。これによって生産活動と交易が活発化し、名字あるいは屋号の名乗りが一層普及した。

豊臣秀吉は、全国制覇の仕上げとして、太閤検地といわれる全国の農地調査を行ったが、秀吉の検地では、「一地一作人制を原則とし、農地一筆ごとに耕作する農民を確定した。このことはさらに小農の自立を促し、家族を単位として耕作を行う近世農村への道を開いた」（縄田康光「歴史的に見た日本の人口と家族」、『立法と調査』№２６０、二〇〇六年）。

つまり、秀吉は、武家領主の税収の増加を図るため、中間搾取を排除しようとしたわけである。農民に土地を所有させ、耕作者から直接に税を徴収しようとした。領主だけが土地と農民を支配することとし、武士は城下に集められた（兵農分離）。武士は大名に雇われたサラリーマンになった。このような信長・秀吉がレールを敷いた方向性の延長上で、徳川幕府は安定した武家支配体制を完成させた。

7 官職名が通称に

中世には名字ができたが、「下の名」についても大きな変化があった。

貴族や武士たちは、自らの権威付けのために、古代律令制の官職名あるいは疑似官職名を自らの「下の名」に取り入れ、通称として名乗るようになった。

人の呼称として役職名を用いるのは、現代でも職場や町内会などいろいろな場面で行われている。特に目上の人に対してはそうである。昔はこの慣習が徹底していたようである。昔、本名は「諱（いみな）」ともいったが、忌み名、つまり遠慮すべき名という意味であった。元来は「貴人に対して本名で呼ぶのは遠慮せよ」ということであったが、実際には貴人でなくても遠慮した。

こういう慣習があったため、上下関係が厳しい武士の間では、律令制下の官職名や役所名あるいはそれらに似た名称などが呼び名として使われた。

『平家物語』や『吾妻鏡（あづまかがみ）』を読むと、そのことがよく分かる。例えば、『吾妻鏡』では、源頼朝のことを「佐（すけ）殿（どの）」、「武衛（ぶえい）」、「鎌倉殿」などと書いている。「佐殿」は頼朝が「左兵衛佐（さひょうえのすけ）」に任じられたことがあったからであり、「武衛」とは「天子を守る武将」を指す中国式の呼称らしい。源義経は『平家物語』では「九郎殿」や「判官（ほうがん）」などと書かれているが、義経は、源氏の家の九男であったから九郎であった。官職は左衛門少尉（さえもんしょうじょう）に任じられており、判官は尉官の別称であった。彼は検非違使を兼ねたので、『吾妻鏡』では義経を「廷尉（ていい）」と呼んでいるところが多い。廷尉も元は中国の司法官の呼称で、日本では検非違使の佐・尉の呼び方であった。

室町時代の武士の名としてよく見るのは、左衛門尉、右衛門尉と尉が付くものである。左衛門・右衛門は衛門府という宮城諸門を守衛する警備隊の名前で、尉の部分は階級である。左か右の衛門府（皇宮警察）の尉官（大尉か少尉か）ということである。尉の部分は、役所名の下に付けるので「下司」ともいう。

下司を理解するには、律令制下の役所の幹部の階層制について知る必要がある。基本的には四階級で、長官、次官、判官、主典となっている。「四等官制」という。それぞれの正式な官職名に使われる漢字や読み方は役所のタイプによって異なる。例えば、国司（現在の県庁）では、守、介、掾、目であり、軍事部門の兵衛府や衛門府では、督、佐、尉（大尉・少尉）、志（大志・小志）となっていた。

左衛門尉と尉が付くのが正式の官職名で、左衛門という官職名はない。これは疑似官職名である。既に『平家物語』にも、武士の名前として、尉を省いた右衛門、左衛門の例もかなり見かける。

武士の名に、左衛門や右衛門、あるいは兵衛、右近や左近が多いのは、平安時代に京都の六衛府（左右の近衛府・衛門府・兵衛府）に勤務するのが武人の常道だったからである。平安時代、地方の豪族の子弟は、公務を学ぶため、あるいは家柄に箔を付けるために都に働きに出たが、多くは衛府（検非違使を含む）における武官（衛府舎人）の仕事であった。現在でいえば皇宮警察か警視庁の警察官の仕事である。危険できつい仕事であったが、こうした中央の武門で働くと、ある時期までは、免税などの特権が与えられていたようである。

武士たちは、官職名を自家の権威付けに利用しながら、一方で朝廷に無断で勝手に官職名を名乗ることもあった。

九世紀末から十世紀初めにかけて、平安京の政府は、現地にいる国司のトップである受領に税収確保を請け負わせ、一国の統治を大幅に任せる政策をとったようである。その結果、受領の専横が強まった。受領（赴任地で仕事の引き継ぎを受ける者の意味）の名に反し、次第に赴任しなくなった。受領以外の他の国司も赴任しない者が多く、受領は都から私的に家来を派遣したり、現地の有力武士を雇ったりした。それが「目代」（代官）などの「在庁官人」たちであるが、彼らは正式の役人ではないのに、権介や大介などと自称していたという。

関東ではこうした例が特に多かったようで、そのきっかけとなったのが、天慶二年（九三九）の天慶の乱で、平将門は関東の国司を勝手に任命したのである。

平安末期に源頼朝の旗上げを助けた功労者といわれる上総広常は、上総介を名乗っていたといわれているが、正式に任命された記録はないという。相模国の三浦半島にいた三浦義継は三浦介を称したというが、三浦は郡であり、三浦介という官職はなかったと思われる。千葉常胤も下総権介や千葉介と称したようだが、自称であったといわれている。

『平家物語』では、源範頼のことを「参州殿」とも呼んでいる。これは彼が三河守になったことがあったからである。国の名を個人の通称にする例も早くからあったわけである。

このように、平安末期にも、武士の通称は疑似官職名や国名も取り入れて、既にかなり多様であった。

鎌倉時代以降、朝廷は次第に政治の実権を失い、財政難から、献金の見返りに名目的な官職名を許すこともあった。南北朝時代には戦いが多かったので、武将への褒賞として名前だけの国司や左・右衛門尉などの官職名が多く与えられたと思われる。

戦国時代になると、社会秩序は大いに乱れ、戦国大名は、朝廷とは関係なしに官職名を部下に与えたり、武士自身が勝手に官職名を通称にすることも多くなったと思われる。

中世の武士の名前は、「名字＋官職名＋氏姓＋実名」という形が標準的である。福岡県三潴郡大木町にいた「吉武左衛門尉源利」は、吉武が名字（苗字）、左衛門尉が官職名（官名）、源が氏（本姓）である。姓は吉武氏にはなかったと思うが、あってもほとんどの姓は朝臣であるから省くことが多かった。利(とおる)が実名(諱)である。昔は実名で呼ぶことはなかったので、官職名(官名)が通称となった。

第三節　近世

1 江戸時代の名前の特徴

中世から武士の「下の名」に官職名、疑似官職名が多かったことが、江戸時代には庶民の名前にも大きく影響した。戦国時代には武士であった多くの人たちが、戦国時代が終わると農民や商人に戻った。武士時代に通称としていた官職名や疑似官職名は、農民や商人になった後も使われた。そのため、農村や町場の庶民にも官職由来の名前が広がったと思われる。左衛門、右衛門、権兵衛など、官職名由来の名前が庶民の間でも一般的になった。

江戸時代の「下の名」では、実名がほとんど使われず、通称が主に使用された。「大岡忠相(ただすけ)」とは「苗字+実名」で、明治以後の近代的な呼び方である。江戸時代にはそうは言わず、「大岡越前守」あるいは「越前守殿」すなわち「苗字+通称」か「通称だけ」で呼ぶのが普通であった。

古代由来の氏姓に関しては、庶民はまず関係がない。ただ、先祖が武士であったような家でその血筋を誇りにするだけである。武士も、ほとんど氏姓を使うことはなかった。それでも、家の格式を示す場合とか、朝廷に出す書類などの限られた場面では必要になることもあったようで、藩の名簿では氏(源、平、藤原、橘、菅原など)を書いているものも見かける。氏姓が家に伝承されていない武士は、専門家に頼んで家系図を作って、氏姓を作っていたとも聞く。武士の家も戦国時代以前のことはほとんど分からないというのが実情であったようである。
商人は屋号も苗字代わりによく用いた。

2 官職名に関する幕府の規制

この項目については、尾脇秀和氏の近著『氏名の誕生――江戸時代の名前はなぜ消えたのか』（前掲書）によるところが大きい。

徳川幕府は、戦国時代の乱れた世相を抑え、社会秩序の回復に努めた。武士の名前についても、律令官職名を名乗る場合は一定の規制を行った。各藩の大名や高位の役職に就いた一部の旗本だけに、正式の官職名を名乗ることを認めたという。武家には官職名の定員などはなく、実質は幕府の許可で決まったらしい。しかし、幕府は、きちんと朝廷から任命してもらうように、まとめて手続きを行った。本人には手続きの経費、礼金などを負担させた。定員はなかったが、上司との重複を避けるなどの自主的配慮はあったようである。

もちろん江戸時代には、朝廷が任命する官職の実体はなかったが、それでも、発令の申請手続きをする中で、武士たちは朝廷の歴史的権威を認識したであろう。

幕府が官職名を規制するようになると、武士たちにも遠慮が出て、正式な官職名を避けて官職名に似た名前を付けることが増えた。これを尾脇秀和氏は「疑似官職名」と名付けられている。

疑似官職名としては、「日向」、「近江」など国の名前を名乗る「国名（くにな）」や、官職名の一部を省略したものなどの「百官名（ひゃっかんな）」というものがあった。左衛門、右衛門は多いが、下司の督、佐、尉が抜けており、やはり疑似官職名である。国名や正規官職名に近い通称を持つ武士は、限られた上級武士であったという。

より多くの一般の武士たちは、官職らしさを感じさせる名前として、左近、右近、左門、右門、左内、主膳、左膳、数馬（かずま）、頼母（たのも）、司書などと名乗った。

疑似官職名を使う場合や、中位以下の武士については、幕府は規制しなかったが、やはり身分に応じた名前の相場というものがあり、自己規制や周囲の目があったようである。それでも、下級身分の武士や庶民はかなり自由に名前を付けたようである。

3 苗字は武士の特権

江戸時代には名字はほとんど苗字と書かれているようである。江戸時代には、名字は先祖が「一所懸命」で守った土地の名であったという記憶が薄れ、単に同族の名として意識されるようになったせいであろう。「苗」は血のつながりを意味する。苗族（びょうぞく）とは血族の意味である。

徳川幕府は、苗字を名乗ることを武士の特権にした。公的な場面では、庶民の苗字の使用は禁止された。しかし、私的な場面では苗字の使用は禁止されてはいない。江戸時代の墓碑や、神社の石柵や石碑などには農民の名が苗字付きで刻銘されていることが多い。また、江戸時代も後期になると苗字使用はだんだん緩やかになって行ったように思われる。商人や農民であっても、藩に貢献した者への評価として苗字の使用を許すなど、例外的扱いが増える。

とはいえ、庶民には「みだりに」苗字を名乗らないという自主規制、相互規制もあったようである。尾脇秀和氏の前掲書では、神社に奉納する絵馬に百姓が苗字を書いたことを庄屋がとがめて削除させた事例が紹介されている。江戸時代は庶民が苗字を名乗ると、自家を高く見せる顕示欲があると見られる可能性もあったわけである。

江戸時代には庶民は苗字がなくても困らなかったという。当時は普通の農民の行動範囲は狭く、ほとんどお互いに見知った仲での取引などの関係であったからであろう。また、地名が地域の細部まであったからかもしれない。江戸時代には十戸前後の集落にも名前があり、その小字などが苗字の代わりになった。都市でも横丁の小道や長屋の呼び名があった。江戸時代の農民は、通常は「広池村百姓庄蔵」で十分であったが、広池村に同名の百姓がいる場合は、さらに「平松」などという小字を入れれば済んだのであろう。

気兼ねしてまで苗字を名乗ることはないし、名乗らなくてもあまり困らないということで、江戸時代の間に苗字を忘れてしまう家もあったようである。

第四節　明治維新

慶応三年（一八六七）十月、徳川慶喜（よしのぶ）は政治の実権を朝廷に返した。これを受け同年十二月、明治天皇は「王政復古の大号令」を発した。王政復古によって、新政府の役人の名前の表記についていろいろと問題が発生した。

江戸時代には単に名誉の称号だった官職名が、王政復古でそれでは済まなくなったのである。新政府は、早急に新しい政府機構と官職の制度を新時代に合わせて創設する必要があった。しかし、公家や上級武士層にはまだ古い官職名や位階を大事に考える慣習があった。役所の現場では、新旧の官職名が入り乱れ、現役の役人としての上下関係と矛盾するなど、いろいろと不都合が生じたようである。

官職名などを通称とする慣習を廃止することが、名前の近代化の最初の仕事になった。明治政府は、明治三年（一八七〇）十一月の太政官布告で、国名（くにな）や旧官名を通称に用いることをやめるように各藩に指示した。同様の指示は明治初年にはたびたび行われたという（高梨公之『名前のはなし』東書選書、一九八一年）。疑似官名がごく普通であった当時、どこまで厳しく改名させるか、各藩の判断はまちまちで、なかなか変わらなかったのであろう。それでも、この新政府の姿勢によって、明治には江戸時代風の名前は付けにくい雰囲気が生まれ、日本人の名前が大きく様変わりすることになった。

明治三年九月の太政官布告によって、「自今平民苗字被差許候事」（今後、平民が苗字を名乗ることは許される）と示した。「平民苗字許可令」とか「苗字自由令」とも呼ばれている。この布告は簡単すぎて、趣旨がよく分からなかった。庶民も苗字を名乗れという趣旨なのか、名乗っても名乗らなくても自由だということなのか、名乗るにはどうするのかなど、分からないことが多く、各藩ではとまどい、扱い方は様々であったらしい。

明治四年四月、「戸籍法」が制定された。そして、戸籍に登録する名前についての基準が、明治四年十月十二日付けの太政官布告で示された。「姓尸不称令」といわれる布告で、「公用文書ニ姓尸ヲ除キ苗字実名ノミヲ用フ」という内容であった。

「姓尸」とは古代の氏姓のことである。ややこしいが、江戸時代には、古代の氏のことを本姓とか姓といい、姓を「尸」といっていた。尸は、本来の意味は死体、シカバネのことであったが、カバネとも読む。これにより、戸籍の登録では、古代由来の氏姓は使わず、苗字と個人の実名で統一するという方針が示されたのである。この布告で「下の名」は「実名」に統一され、通称は使用しないことになったのである。

さらに、明治五年八月には、政府は、一旦登録した苗字や下の名、屋号の変更を禁止する布告（いわゆる「改名禁止令」）を出した。日本人は、幼名、元服名、家の当主として襲名した名、引退後の隠居名など、人生の節目ごとに名を変えていた。そういう古い慣習を禁止し、名前は一つにするように指示したのである。

明治八年二月十三日、政府は、太政官布告第二十二号で、すべての国民に苗字（名字・姓）を名乗ることを義務付けた（「平民苗字必称義務令」）。これは、「兵籍取調べの必要上、軍から要求された」ものという（法務省ＨＰ「我が国における氏の制度の変遷」)。徴兵令は、明治六年一月に発せられていたが、苗字を届け出ない人々がかなりいたようで、徴兵事務に支障があったという。このとき、苗字の伝承がなくなっている家については、新たに苗字を作るように指示した。

こうした一連の措置で、日本人の名前は現在の形に近代化されたのである。

第五節　吉武の地名と吉武氏の興亡

福岡県は、全国で最も吉武氏が多く、福岡市西区には吉武という大きな地区がある。この地区の名は鎌倉時代の記録にも出て来る。したがって吉武という名字の歴史は、福岡県で一番長く続いていると思われる。換言すれば、吉武という名字は、福岡市西区吉武で始まったのではないかと考える。ただし発祥の地であるということは、全国各地の吉武氏の先祖が福岡市から出たという意味ではない。まず筑前で吉武という名乗りが始まり、海民相互の交流によって、その同じ名字を名乗る家が増え、さらに瀬戸内海沿岸を東へ東へと広がったものと推測される。

また、吉武や吉竹という地名がある所では、それぞれの土地の地名から吉武あるいは吉竹と名乗る家が現れた可能性も当然ある。したがって福岡市西区吉武が発祥の地であっても、実際には時代としての必然性から、ほぼ同時期にあちこちに吉武姓が始まった可能性もある。その時期は、平安時代の後半ということになろう。

現在は、福岡市西区には吉武姓の家がかなりあるが、発祥の地と仮定した吉武地区にはまったく吉武姓の家がないようである。同様に他の吉武や吉竹地区でも吉武や吉竹の姓はまったくないか、ごく少ない。これは吉武に限らず、他の名字でもよくあることで、例えば、明智光秀の出身地とされる岐阜県内のいくつかの地域に明智姓がないということを聞いたことがある。そもそも岐阜県には明智姓はほとんどないようである。
多くの名字は、古い時代にできたものであり、その後、長い時間が経過するうちに人々の移動もあるから、人名が地名から離れてしまうことは十分あり得る。特に、最初に名字を持った家は、通常、名主の一族であり、村人たちは同じ名字は遠慮して名乗らなかったといわれている。権力交代で名主一族が郷里を離れたり、戦争で負けて帰れなくなったりすると、名の名と同じ人名が地元にはなくなることもあったと思う。

福岡市西区吉武の名主であった吉武氏は、原田種直の指揮下にあったのだろう。原田種直は、平清盛（大宰大弐）の推薦によって大宰権小弐に任じられ、九州の平氏方の武士を統率する武将であった（ちなみに大宰府では、四等官制は、長官が帥、次官が大弐・少弐、判官は大監・少監、主典は大典・少典となっていた）。彼の支配領域は、筑紫野、那珂川、糸島、福岡市西部地域に及んでいたと思われる。

吉武地区など室見川流域の人たちは、官物や荘園年貢の京への輸送や、宋船が博多まで運んで来た貿易品の大輪田泊（神戸）への輸送の仕事に従事していたのではないか。吉武地区から室見川を下って博多湾に出ると、そこから左へ行けば糸島半島の唐泊の港がある。宋からの大船が停泊できた港である。大宰府出先の主船司（今の福岡市西区周船寺あたり）も近い。右へ行けば博多港、鴻臚館（外国使節の接待と貿易を管理した役所）があり、博多川端の荷揚場（旧冷泉小学校跡）に行けた。

源平争乱において原田氏は戦に敗れ、支配地を鎌倉幕府に没収されたが、吉武氏も原田氏に協力していたということで、名主としての地位を奪われ、土地を失い、一族郎党は故郷に戻れなくなり、北部九州の各地に分散したのではなかろうか。

原田種直は、源平争乱の末期、元暦二年（一一八五）二月、葦屋浦（今の芦屋町あたりか）で源氏方の渋谷重国に弓で射られたと記録されている（『吾妻鏡』）。しかし、戦死したのか、傷を負って捕虜となったのかなどは書かれていない。原田氏の子孫は、その後も戦国時代まで、今の糸島あたりを領地として活躍しているので、おそらく種直は何年か鎌倉に留置された後、鎌倉に忠誠を誓って許され、旧領の一部回復を認められて、筑前に戻ったのだろうと思われる。

第六節　名字の現状

1 氏と姓

今では、名字のことを、「氏」とも「姓」ともいう。氏と姓の混用は、これまで述べたように、古くから行われてきたので今更整理はむずかしい。

民法などの法律では、家名のことを「氏（うじ）」と呼んでいる。これは、明治時代の民法の起草者が、血族を氏と呼んだ古代氏姓制度の用法を想起していたのであろうと思われる。江戸時代は名字を姓と呼んでいたが、王政に戻った機会に大昔の用語に戻したのかもしれない。その後、現在まで、公文書の書式では名前を書く欄は「氏名」となっており「姓名」とはなっていない。

2 名字と苗字

また、「名字」と「苗字」の使い方の変化もある。江戸時代から戦前までは、「苗字」と表記することが多かったが、戦後は「名字」に戻った。

戦後、昭和二十一年（一九四六）十一月に「当用漢字表」が告示され、この漢字表では、「名字」と表記することになった。国語審議会は、「名字」が歴史的に本来の書き方であると考えたようである。

昭和五十六年十月、当用漢字表は、若干緩和・改善され、新たに「常用漢字表」が告示された。しかし、常用漢字でも「苗字」は採用されなかった。なお、常用漢字表は、「一般の社会生活における漢字使用の目安」として示されているもので、主に役所の公用文書や学校教育の漢字を規制しており、一般的な使用は規制していない。

本書では、常用漢字の趣旨と歴史的な成り立ちを考慮して、主に「名字」の表記を用いているが、江戸時代のことなどは江戸時代の用法に倣って苗字と書いたところも多い。

また、家名が名字であると述べてきたが、違和感のある人もあろう。第二次大戦後、法制度上は家制度は廃止され、夫婦中心の「世帯」という制度に置き換えられた。しかし、世帯は、家の一時期の断面にすぎない。我々は、先祖の血を受け、子孫につないで生きている。それが生きがいでもあるし、老後の生活の保障にもなっている。国家が年金をくれる制度を整えたといっても、実は子や孫たちが負担してくれているのである。家の大切さは何も変わっていない。やはり身近な血縁者の助け合いこそが社会の安定の基本要件なのである。

第二部

吉武ゆかりの地域

第二部では、私が吉武ゆかりの土地と考えた地域について調べたことを紹介したい。地域の選択は、私の見方によるものであるので、案外大事な地域を見落としているかもしれないが、ともあれ、これまでに調査した地域の報告である。なお、各地域の吉武氏・吉竹氏の人数や人口比は、特に記載がない場合、「日本姓氏語源辞典」による。

第一章　福岡県・筑前

第一節　福岡市西区

1 吉武地区

福岡市西区の吉武地区は、福岡市の西端、室見(むろみ)川の左岸に位置する。市内から見ると、飯盛山(いいもりやま)（三八二m）や日向(ひなた)峠をバックにしており、地区の西半分は飯盛山地で、東半分が水田や住宅地、遺跡公園になっている。日向峠から発する日向川が吉武地区を横断している。日向川は吉武地区を通過して間もなく室見川（二級河川）と合流する。吉武公民館が地区の中央部の日向川沿いにあるが、このあたりで海抜三三mで、吉武地区全体が室見川水面よりかなり高い。そのため、吉武地区の田畑の灌漑用の水は、日向川か、室見川の上流から引くしかない。室見川上流には現在は曲渕(まがりぶち)ダム（大正十二年（一九二三）建造）があり、福岡市の重要な上水源となっている。その他に多くの堰があるが、いつから堰があったのかについてはまだ史料を見出していない。我が国である程度以上大きな川に堰が造られた時期はほとんどが江戸時代であるので、おそらく室見川においても同様ではないかと推測する。

日向川は飯盛山の山裾を流れているので、吉武地区に水をもたらすという意味では重要な川ではあるが、川幅が五～七ｍぐらいの小さい川である。

日向峠を西へ越えると糸島市である。戦国時代の原田氏の居城があった高祖山（たかすやま）は、日向峠から尾根続きで近い。

福岡市西区吉武地区の日向川。
ツルヨシやジュズダマなどが混生（6月）

吉武地区の緩い段々畑と飯盛山

吉武地区は、福岡市中心部への通勤者の住宅が増えてはいるが、まだ水田が多い静かな地域である。福岡都市高速の野芥（のけ）出入口ができてから、自動車を使えば便利になった。

吉武地区は、幅一㎞ぐらいで東西に三㎞ぐらい広がっているが、その西半分は山地で、東半分は緩い斜面で住宅地、果樹園、水田などとなっている。水田は一面一面高さが異なり、段々に

吉武地区のメダケ（9月）

作られている。緩い斜面で各々の水田の一区画は割合広い。

地区の東端、室見川を見下ろす高い所に吉武高木遺跡がある。室見川がつくった河岸段丘の高所である。弥生時代には有力者の住まいや墓があった。昔は博多湾まで見通せたのではないかと思われる。

吉武地区は、平安・鎌倉時代は、早良（さわら）郡曽加部（そかべ）郷吉武名、江戸時代は早良郡吉武村で、生産力は天正年間（一五七三～九二）五一五石、慶長年間（一五九六～一六一五）には七九四石であった。

明治二十二年（一八八九）に早良郡金武村の大字となった。現在も金武小学校の校区であるが、住所表示は福岡市西区吉武〇〇番地である。昔の早良郡は、現在の福岡市の西部の城南区、早良区、西区にわたる広い範囲をカバーしていた。

この地域の氏神は飯盛神社である。文永八年（一二七一）の飯盛神社の所領田に関する古文書に「吉武名（よしたけみょう）」の名が出てくることについては第一部第五章第二節でふれた。森岡浩編『全国名字大辞典』（前掲書）では、この吉武地区が吉武という名字の始まりの地ではないかと著されている。私もそうではないかと考えている。

吉武姓は福岡市西区（約六十人）や早良区（約百人）にはかなり見られるが、吉武地区内に限ると、現在は、吉武姓の家はないようである。電話帳、飯盛神社の寄付者名の掲示板や町内会の地図掲示などを調べたがまったく吉武という名は出ていなかった。

「姓氏語源辞典」によって、福岡市内で吉武氏の多い区を順に拾ってみると、南区（約二百人、〇・〇九九六%）、東区（約一三〇人、〇・〇七六四%）、早良区（約百人、〇・〇六八七%）、博多区（約六十人、〇・〇五四三%）、西区（約六十人、〇・〇五%）、中央区（約六十人、〇・〇六二四%）、城南区（約四十人、〇・〇五三%）となっている。どの区も人口の密集した都会の中なので人口比は小さい。西区では一万人に五人という程度である。吉武氏が目立って集中している小地域は福岡市にはなく、分散している。

　福岡県、大分県、山口県の吉武氏の割合は概ね千人に一人（〇・一%）程度であり、それらと比較すると、福岡市各区における吉武氏の割合はむしろ低い。それでも全国平均では吉武氏は一万人に一人しかいないので、福岡市西区には全国平均の五倍の吉武氏がいることになる。

　西区よりも他の東や南の区で人口比が高くなっているのは、吉武氏が西区吉武から離れて、東や南の方に移住した結果かもしれない。この移住の事情については、第一部第五章第五節で私の推測を述べている。簡単にいえば、平安時代末期の源平争乱（治承・寿永の乱）で、平氏が敗れたことがきっかけであったのではないかと考えている。九州の平氏方を率いていたのは、福岡市西部地域などを支配していた原田種直であったが、彼は、源範頼軍に敗れた。おそらく旧早良郡の武士（名主）たちは原田氏の指揮下にいたので、吉武氏たちは元の地に戻れなくなり、北部九州の各地に移住したのではなかろうか。

　福岡市西区吉武は、日本列島でも最も早く稲作が始まった地域の一つであると思われる。大陸から稲づくりが最初期に伝来した土地であろう。

　弥生時代の初期の稲作は、山や丘の麓の湿地で行われたと考えられる。山裾に多い湧き水のような小規模の水源がコントロールしやすかったからである。山の水は冷たいので水温を上げるために小さな溜池を作ったという。そして住居などの生活の場は、洪水の危険を避けて、河岸段丘の先端部などの高台を選んで、竪穴住居を設けて住んだ。生活用水は住居に近い方がよいので、背後に山があって湧き水や小川がある所が都合がよかった。

吉武地区はまさにそういう弥生人の暮らし方に最適の土地であったと思われる。大きな背振山地の日向峠から出た日向川が飯盛山の山裾を巡って吉武地区の中を通り、室見川に出ている。吉武遺跡がある所は室見川を見下ろす河岸段丘の台地の先端になる。

しかし、制御しやすい山麓の小川は、稲づくりが広がると、たちまち水が不足する。人口が増えれば、どこか新しい水田適地を求めて他の土地に進出するしかないのである。弥生時代が戦いの時代となったのはそういう状況からではないだろうか。そのようにして稲作は東に広がって行ったと思われる。

吉武地区は、水不足から農業だけでは不安定で、古代から半農半漁の村であったと推測する。室見川から博多湾へ船で出られる。したがって吉武地区の有力者は、稲づくりのリーダーであるだけでなく、船主・網元でもあったと思われる。室見川は春のシロウオ漁が有名であるが、もちろんそれだけでなく、海に出れば魚種は豊富である。多くの農家が漁業を兼ねたに違いない。現在は、吉武地区から海まで七㎞ぐらいあるが、昔の海岸線は今よりずっと吉武地区に近かったはずである。

律令制の時代には、吉武氏は、初めは船による運脚（都に税物を運ぶ役目）をさせられ、平安時代に海上輸送が盛んになってからは、海運業を兼ねる家も出て来たであろう。中には博多から神戸（大輪田泊）まで行く人たちもいたであろう。

前述のように、博多湾の西岸（福岡市西区）に周船寺という地名がある。周船寺は本来は「主船司」であったのだろう。平安時代に大宰府の官物や日宋貿易の品物を京に送る船の管理・運航をつかさどった役所の名ではないかと推定されている。糸島半島の先端を回って博多湾に少し入り込んだ所に唐泊漁港があるが、昔、中国や朝鮮から博多を目指して来航した大型の船がまず停泊したという唐泊湊であろう。糸島半島の根元に今津湾がある。ここに瑞梅寺（ずいばいじ）川と周船寺川が注いでいる。おそらくここに主船司が管理する船の繋留所があったのではないかと思う。

このあたりは平安時代末期には原田種直が支配していたのではなかろうか。原田氏の子孫は、中世にも、この近くの高祖山に高祖城を置いて筑前西部地域を支配していた。周船寺は高祖山から近い。

現在の那珂川市山田に城山があるが、ここが平安末期の原田氏の本拠・岩門（いわと）城であった。ここから、脇山、内野へ出て室見川を船で下ると、金武、吉武を経て博多湾に出る。そこから周船寺が近い。原田氏が室見川流域を支配し、吉武と名乗る武装名主が、船と水夫を引き連れて、原田氏のために働いたことは十分あり得ると思う。

国史跡の吉武高木遺跡。後方は飯盛山

2 吉武高木遺跡

九州北部、特に現在の糸島市、福岡市西部地域は、大陸に近いために稲作や金属器の伝播が早かった。おそらく漢字の使用も最も早かった地域の一つであろう。

吉武地区には弥生時代の遺跡である国指定史跡の「吉武高木遺跡」がある。その他にも旧石器時代から中世に及ぶ多数の墓があり、「吉武遺跡群」とも呼ばれている。その出土品は、「筑前吉武遺跡出土品」として国指定重要文化財となっている。

糸島市は『魏志倭人伝』の「伊都国」に比定されており、日本列島で最も早く国ができた地域の一つであった。これに隣接する吉武地区は、伊都国であったのか、奴国であったのか、あるいはその他の国であったのかは分からないが、そのような規模の古代の国を構成する要の地であったと考えられる。

吉武高木遺跡は室見川を望む河岸段丘の高所である。現在は「やよいの風公園」として整備されている。弥生時代の約二二〇〇年前から二〇〇〇年前までの間における国の成立過程を知るために特に重要な遺跡とされている。多くの墓からは、銅剣・銅矛（どうほこ）、玉類（ぎょく）、鏡などの副葬品が多数出土している。

特筆したいのは、日本の皇室の象徴である剣・玉・鏡の「三種の神器」が出ている日本最古の遺跡だということである。日本神話においては、天孫降臨のとき、天照大神（あまてらすおおみかみ）が瓊瓊杵尊（ににぎのみこと）に授けたものとされ、天皇家の宝である。それ故にここが天皇家の始祖の地ではないかとも思いたくなる。床面積一一五㎡の大型掘立柱建物も発見され、吉武地区が旧早良郡域のクニの中心のムラで、ここに王がいたであろうと考えられている。

なお、吉武地区の北方五㎞ぐらいの所には山門（やまと）という地区がある。江戸時代には早良郡山門村であった。現在も、上山門、下山門という地名があり、ＪＲ筑肥線の下山門駅がある。

吉武地区から日向峠を越えると糸島市（旧怡土郡）の南部に出る。そこには、「平原遺跡（ひらばる）」（五基の墳丘墓）がある。弥生時代の後期～晩期の墳墓と推定されているが、その一号墳にも、玉（勾玉（まがたま）・管玉（くだたま））と鏡（銅鏡）と剣（鉄剣）の三点セットが納められていた。銅鏡は、直径四六・五㎝もある日本最大級のものが五面もあり、その他のものを合わせて四十面もの多数の鏡（日本製と中国製）が出土した。装身具の出土品が多いことから、埋葬者は女性と見られているが、卑弥呼より時代が古いようで、発掘調査を行った原田大六は、オオヒルメノムチ（大日孁貴、大日女貴。天照大神として祀られた女王）であろうとしている（原田大六著、平原弥生古墳調査報告書編集委員会編『平原弥生古墳――大日孁貴の墓』上・下巻、葦書房、一九九一年）。ヒルメとは日女つまり太陽神の妻という意味で、日の神を祀る巫女（みこ）のことであろう。オオとムチは尊称である。巫女を王として崇め、占いを重視する政治が行われたのであろう。

一号墳の東南には大きな柱の跡と見られる穴があったという。原田氏は井戸と見たようであるが、現在、糸島市教育委員会の文化財担当では、その穴は大きな柱の跡であろうと見ているようである。その柱は墳墓から日向峠の方角（東）を示す位置にある。峠に輝く朝日を拝むために必要なものであったと考えられている。

記紀は、天孫降臨の地を「日向」といい、それは南九州の日向(ひゅうが)（＝宮崎県）であるというのが定説だが、古代史研究者の中には、この日向は、筑前の日向(ひなた)峠のことではないかと考える人もいる。

『日本書紀』には伊弉諾尊(いざなぎのみこと)が黄泉国(よみのくに)を見たので「橘(たちばな)の小門(おど)」に帰って「日向」で禊(みそ)ぎをしたという話が出てくるが、この禊ぎの場所は、吉武地区を流れる日向川ではないかという見方もある。また、神武東征の起点の日向もこのあたりのことではなかったかと想像する。

3 飯盛神社

飯盛神社は吉武地区の氏神であり、旧早良郡の惣鎮守、一之宮であった。飯盛山（三八二m）の麓にある。飯盛山はこのあたりでは遠目にも目立つ、富士山型の形のよい山である。福岡市中心部から吉武地区に向かって自動車で行くとき、この山が見えると「なんと神々しい山だろう」と感動をおぼえる。そこに神様が降りると感じた古代人の感覚は理解できる。

社伝では平安時代の貞観元年（八五九）に社殿が建立されたと伝えるが、ずっと古い時代から、山体が信仰の対象で、この地の支配者が拝礼して来た聖域だったのではないかと思う。貞観元年に社殿が創建されて、神社としての形を整えたということであろう。現在の社殿は第二代福岡藩主・黒田忠之が寄進したものという。

祭神は、本社に主神・伊弉冉尊(いざなみのみこと)、玉依比売命(たまよりひめのみこと)、品陀和気命(ほんだわけのみこと)、中宮に五十猛尊(いそたけるのみこと)が祀られている。イザナミは国づくり神話における国生みの女神で、イソタケルは荒ぶる神・素戔嗚尊の子、タマヨリヒメは初代天皇・神武天皇の母といわれている。ホンダワケは応神天皇の本名で、第十五代天皇である。応神天皇は神功皇后の子である。神功皇后の伝説は福岡県、佐賀県には極めて多く各地に残っているが、近畿ではあまりないと聞く。『日本書紀』の神功皇后・応神天皇親子についての記載は、筑紫国の支配者の事績の語りぐさが元になっているのかもしれない。

いずれにせよ、この神社は初期の国づくりの上で重要な節目の人たちを祭神としているわけであり、飯盛神社が筑紫国の始まりから存在したことを感じさせる。飯盛神社では、毎年十月の秋季大祭の折に流鏑馬行事が行われている。このあたりに平安時代から武士団がいたことの名残ではないかと思う。飯盛神社に伝わる室町時代の終わりごろの古文書に、この行事のことが掲載されているという。走る馬上から弓で的を射る訓練は平安時代の武士の誕生とともに始まり、その演武を神社に奉納することも平安時代末期には行われていたらしい。

福岡市西区の飯盛神社

第二節　古賀市・福津市・宗像市

1 古賀市・福津市

吉武氏の割合で見ると、福岡市の東方、玄界灘沿岸の古賀市と福津市も比較的高いので分布地域として注意すべきである。

古賀市は〇・一八三％（約八十人）、福津市は〇・一六％（約九十人）で、佐賀市〇・一四九％（約三百人）や久留米市〇・一四七％（約四百人）に比べて、人数は桁違いに少ないが、割合は高い。

福津市内では、東福間に吉武氏が多い。東福間は、吉武氏の人数は約三十人であるが、割合は〇・七六五％と高い。

福津市には、津屋崎港や宮地嶽神社がある。昔、津屋崎の海岸では製塩が盛んに行われていた。勝浦塩浜と津屋崎塩浜で粗塩（あらじお）を生産していた。福岡藩の需要をほとんどまかない、さらに他藩にも販売していた。海水から作る粗塩はミネラル分が豊富で、味噌、醤油、漬け物、魚の加工品に合うとしてよく売れたという。

津屋崎から塩を積み出す船は、帰りには各地の産品を仕入れて戻った。鉄を買うために出雲や因幡（いなば）にも塩を売りに行ったらしい。一方、製塩のためにたくさんの石炭が必要で、嘉麻（かま）郡から遠賀（おんが）川を下って来た石炭船がたくさん入港した。そのため、津屋崎には多くの旅籠（はたご）、料亭、商家ができ、造船、酒づくり、染め物などの職人がたくさん集まったという。江戸時代には「津屋崎千軒」といわれるほどに栄えたらしい。船旅のおみやげとしての「津屋崎人形」（粘土の人形）づくりも盛んであった。こういう土地柄であるから、元々船乗りであった吉武氏が次第に住み着いたのも納得できる。

2 宗像市

宗像市には吉武姓が多い。「姓氏語源辞典」によれば、全国市町村では、山口県防府市（約千人）に次いで、宗像市と大分県国東市がどちらも約五百人で同数の二位である（ただし、区別になっている北九州市、福岡市は全区を合計するとそれぞれ約七四〇人、約六五〇人となる）。

宗像市のどのあたりに吉武姓が多いかを見ると、日の里約二百人、田熊約七十人、久原約六十人、用山約六十人となっており、これらの地区は三潴郡大木町蛭池（約五十人）より多い。割合では、用山が三一・七％で全国の小地域で二位、久原が一八・二％で五位で、この二地区が抜群に割合が高い。以上の数値は「姓氏語源辞典」のサイトによるものである。

日の里は東郷駅の東側に開発された新興住宅地であるが、次のように「ネットの電話帳」でも、吉武姓の家が多いことが分かる。日の里では中村姓に次いで多い。なぜこのように比較的歴史の新しい団地に吉武姓の家が集まったのか不思議に思う。

「ネットの電話帳」による吉武姓の家

日の里　二十四軒（二〇一二年版）　田島　十六軒（二〇一二年版）

田熊　十五軒（二〇〇〇年版）　用山　十三軒（二〇〇〇年版）

久原　九軒（二〇一二年版）

田島地区にも吉武姓が多いが、「姓氏語源辞典」では出てきていないのが不思議である。

田島は宗像大社の所在地である。田島の集落は、神社の裏手（南側）にあり、氏子の集落である。歴史的にも、例えば、中世において田島の水田は宗像大宮司家の直営であり、「農業用水の源である山」もその管理下にあったという（宗像市史編纂委員会編『むなかた二千年』宗像市、一九九九年）。その山というのは田島地区の丘陵部のことではないかと思う。

田島地区には吉武姓の家が十六軒となっているが、その人数を試算してみると、平成十七年ごろの一世帯平均人数は二・五人ぐらいであるから、約四十人である。

宗像の田島地区に神社と集落があったことは、平安時代末期の一一三〇年代の神社文書にも出ているようである（『日本歴史地名大系41　福岡県の地名』平凡社、二〇〇四年）。田島地区から周辺の用山、久原などの地区へ吉武氏が広がったのであろうと思う。田島から分かれた家や、いろいろな縁で吉武の名をもらった家が周辺にあったと思われる。また神社の宮田などがこれら周辺の地区にあって、吉武氏を含む氏子諸氏がその管理・耕作を請け負っていたのではないかという推測もできる。

平氏滅亡後、原田種直支配下にあった筑前早良郡（福岡市西区・早良区）の領地は鎌倉方に取り上げられ、建久六年（一一九五）に武藤資頼（すけより）の支配下となった。したがって、宗像の吉武氏の祖先としては、治承・寿永の乱の後に、早良郡から来て宗像に入植した吉武氏もいるかもしれないし、また、南北朝期に足利尊氏に同行して畿内から来て宗像に入った吉武氏もいるかもしれない。

なお、宗像市赤間の福岡教育大学の南に「吉武」地区があるが、ここは、古くからある地名ではない。明治二十二年に町村制が施行された際に、吉留（よしどめ）村と武丸村が合併して吉武村になったものである。「吉武小学校」の名は、この吉武村の学校として付けられた名である。この吉武地区には吉武姓の家は少ない。吉留には地域の惣鎮守である八所宮という神社があるが、ここの掲示板の寄付者名簿では、吉武姓は数百人のうち一名しか見当たらなかった。

3 宗像と足利尊氏

宗像市の田島地区には、吉武氏は、南北朝時代に田島に住み着いたとする伝承がある。

宗像市田島地区に住んでおられる吉武氏から伺った話であるが、田島の吉武氏は、足利尊氏が京都を追われて九州へ来たとき、尊氏に京都から随行して来た武士の末裔であるという。尊氏が態勢を立て直して再び京都に攻め上るとき、彼の指示で、吉武氏は宗像大社を守るために宗像の田島に残ることになったという。子供のころ祖父から聞いた話だそうである。調べてみると、京都市南部の水運が盛んであった地域に現在も吉武姓がある。

足利高氏は、元弘三年（正慶二年、一三三三）、鎌倉幕府の倒幕に成功、後醍醐天皇の「建武の新政」に協力し、「尊氏」の名をいただく。しかし、やがて天皇とは考えが違うことに気づく。天皇は、自らの政権を作りたかったので、武士の力を削ぐことに力を入れたのである。

建武三年（延元元年、一三三六）正月、尊氏は、光厳上皇の「院宣」を得て、京都を押さえた。後醍醐天皇は比叡山へ移動する。まもなく後醍醐天皇の意を受けた北畠顕家、楠木正成、新田義貞が尊氏を攻め、一～二月の数度の戦いで尊氏は連敗し、一旦、九州に下って再起を図ることとした。

当時は、後醍醐天皇方に付くのか、反天皇方に付くのか、西国の武将たちはあまり態度をはっきりさせていない時期であった。尊氏は、九州へ下るに当たって、中国、四国、九州の武将の協力を得るべく、いろいろな工作を行っている。後醍醐天皇に召し上げられた土地は返還することを宣言し、西国各地に自分の一族や有力御家人を派遣して地元の武将との連携を深め、自分に味方する各地の有力武将を守護に認定したりした。

九州では、尊氏の工作によって、大友氏、島津氏、筑前・筑後を押さえていた小弐頼尚（大宰府）や宗像氏範（宗像）などが尊氏の味方に付いた。尊氏は宗像大宮司・宗像氏範の館に入り、宗像大社に戦勝祈願をした。宗像氏は武器、馬の調達などに協力した。

建武三年三月、尊氏は、福岡の多々良浜で、後醍醐天皇方の肥後の菊池氏と戦って勝利した。その勢いに乗って、尊氏は西国で集めた兵力で京都を掌握し、室町幕府を立てることになる。

このような時代背景を考えると宗像の吉武氏の家に伝わる話はあり得る話かもしれないと思う。尊氏は、九州に向かうに当たって難波津（なにわづ）や淀川筋の航海・操船の技術を持った人々を動員したであろう。その中に吉武氏がいた可能性は考えられる。また、多々良浜の合戦に勝利して、京都に上るとき、尊氏は、一色範氏（いっしきのりうじ）や仁木義長（にきよしなが）を、九州の足利方の武将のまとめ役として残して行った。その際、特に世話になった宗像大社の護衛のために自分の部下（吉武氏とその郎党）を一部置いて帰京したということもあり得る話であろう。

ただし、宗像市の吉武氏の人口の多さを考えると、足利氏の家来であった吉武氏だけがその祖先であると考えるのは無理があろう。室町時代よりも古い時代から、宗像にも吉武と名乗る人々がいたのではなかろうか。

4 宗像大社

宗像大社は、宗像三女神を祀る。沖ノ島の沖津宮に田心姫神（たごりひめのかみ）、大島の中津宮に湍津姫神（たぎつひめのかみ）、田島の辺津宮（へつみや）に市杵島姫神（いちきしまひめのかみ）を祀る。これら三宮を総称して宗像大社という。

海路の安全を守る神々として地元の海人たちに古くから尊崇されてきたのであろう。やがて大陸との交易を重視するヤマト王権がこの地に着目し、宗像の海人にその任務を担わせ、「海北道中」（朝鮮半島への渡海の道）の安全を祈る祭祀の場として、三宮で航海の成功を祈る祭祀を行ったのであろう。

宗像の海人族のリーダーとヤマト王権との関係も深まり、七世紀前半には、胸形君（むなかたのきみ）（宗像の首長）徳善（とくぜん）は、娘の尼子娘（あまこのいらつめ）を大海人皇子（おおあまのみこ）（天武天皇）に嫁がせた。この婚姻は胸形君とヤマト王権との関係強化を象徴している。

ヤマト王権が、朝鮮へ渡る航海の安全を祈るための祭祀を宗像で行うようになったきっかけは、六世紀初めの筑紫君磐井（つくしのきみいわい）の乱であったといわれている。この乱が起こったとき、ヤマト王権は「糟屋郡に接する宗形に注目し、宗形君に近づき磐井を牽制した」と考えられている（『むなかた二千年』前掲書）。
磐井は志賀島の海民を支配下に置いて新羅などとの交易を行っていたと考えられる。磐井の乱が鎮定された後、磐井の息子は連座・処刑されることを恐れて、糟屋郡の海に近い土地を屯倉（みやけ）としてヤマト王権に献上した。この屯倉は、今の福岡市南区の三宅あたりではないかと考えられている。この後、ヤマト王権は大陸との交易を博多湾を拠点として行うようになったのではなかろうか。

宗像が「海北道中」安全祈願の祭祀の場であったことから、ただちに宗像が古代の朝鮮半島との交易の拠点であったと考えがちであるが、それは別の問題であると思う。慎重な検討が必要であろう。当時の航海技術と海流の影響、宗像には大きな湾がなく、博多湾の鴻臚館のような交易関係の古代遺跡もないことなどから、私は否定的に考えている。

第三節　直方市・中間市・小竹町

遠賀川流域の直方（のおがた）市、中間（なかま）市、小竹町も吉武姓の割合が比較的高い。直方市〇・一四二％（約九十人）、中間市〇・一二四％（約七十人）、鞍手（くらて）郡小竹町〇・一三三％（約三十人）である。

遠賀川は、江戸時代から明治に鉄道ができるまで、響（ひびき）灘や洞海（どうかい）湾と内陸の飯塚、嘉麻などとを結ぶ重要な輸送路であった。

福岡藩は、元和七年（一六二一）、遠賀川から洞海湾までの水路「堀川」を掘り始めたが、二年で中止した。その一三〇年後に再び着手し、宝暦十二年（一七六二）に中間唐戸（からと）（水門）から、折尾を経て、洞海湾に至る水路が一応完成した。その後、文化元年（一八〇四）に延長されて寿命（じめ）唐戸が新しくできた。全長一二kmに及ぶ運河である（国土交通省遠賀川河川事務所編『遠賀堀川の歴史』二〇〇八年）。

この遠賀川堀川の主目的は、最初は洪水対策と水田への水利用であったが、二度目の工事のときは、おそらく石炭輸送の水路を開く狙いが大きかったと推測する。そのころには、遠賀川による水上輸送の主な物資は石炭になっていたのである。

石炭については、福岡藩は一七〇〇年ごろから、遠賀、鞍手、嘉麻、穂波（ほなみ）の四郡の石炭の生産状況を調査し、藩として生産・販売に関与するようになった。遠賀川では「かわひらた」（五平太船（ごへいたぶね）ともいう）といわれる、積み卸ししやすく、積載量の多い平底の船で遠賀川河口や洞海湾まで運び、芦屋や若松の港で大型の船に積み替えて、西日本各地に送られていた。

遠賀川の船には帆はあったが、主に棹（さお）で操作した。帰りは空船を陸上から人力で引いて帰るので船頭の仕事は重労働であったが、高賃金であったので、各地から体力自慢の男たちが集まったという。この人たちの気っ風のよさを「川筋気質（かわすじかたぎ）」といったのであろう。

江戸時代には特に塩づくりに石炭が利用されており、福岡県内の津屋崎や、中国、四国の塩田で大量に石炭の需要があった。近代に入って八幡製鉄所が設置され、筑豊の石炭の必要性は高まったが、鉄道ができたので水上輸送はすたれた。

石炭産業が盛んであった昭和三十年代までは、筑豊の町々はいずこも好景気で繁栄していたので、県内はもとより九州各地から人が集まった。吉武氏も、水運関係に限らず様々な分野の仕事でこれらの町に集まって来たのであろう。

第四節　北九州市

北九州市は大都市であるだけに吉武姓も比較的多い。

「姓氏語源辞典」では区ごとに示されており、八幡西区約三百人、小倉南区約一一〇人、門司区約九十人、八幡東区約八十人、小倉北区約七十人、若松区約六十人、戸畑区約三十人で、七区を合計すると約七四〇人となる。全人口の中での吉武姓の割合も、八幡西区の〇・一四一％は高い。八幡東区〇・〇九六三％、門司区〇・〇七二八％も、福岡市早良区〇・〇六八七％や福岡市西区〇・〇五％より高い。以下、若松区〇・〇六〇八％、小倉南区〇・〇六〇四％、戸畑区〇・〇四八四％、小倉北区〇・〇四四五％となっている。

北九州市には、旧筑前地域（福岡藩領）と旧豊前地域（小倉藩領）がある。戸畑区・八幡東区・八幡西区・若松区が筑前で、小倉北区・小倉南区・門司区は豊前である。

北九州市は、歴史的な観点から見れば、都があった畿内と九州を結ぶルートの要の位置にある。北の響灘と東の周防灘（すおう）に面し、洞海湾が入り込み、関門海峡がある。したがって、昔から港が多数あって、海の民が多く住んでいた地域であろう。明治になってからは大陸との往来と交易が大幅に増えた。明治三十四年（一九〇一）には八幡製鉄所が操業を開始し、これを契機として北九州地区は一大工業地帯として発展することになった。

北九州市では、八幡西区の吉武氏の人数は全国市町村の中で第六位である。人口が多い大都市であるから北九州市全体では人口の中の吉武姓の割合は低いが、八幡西区は一万人に十四人（〇・一四一％）という高い割合である。久留米市（〇・一四七％）や佐賀市（〇・一四九％）に近い。

八幡西区に吉武氏が突出して多いのはなぜであろうか。八幡西区は洞海湾が入り込んだ地域で黒崎港がある。黒崎港は、江戸時代初期に福岡藩が参勤交代の便のために整備したと考えられる。長崎街道の始点は小倉（事実上は門司の大里（古くは内裏と表記）とされていたが、福岡藩は、譜代の小倉藩の港は使いにくいと考えていたのか、自藩領内の洞海湾に面した黒崎に港と宿場町を新たに整備した。幕末に三条実美など五人の公卿が太宰府に落ち延びたとき上陸したのも黒崎港である。黒崎は江戸時代から石炭の積出港として繁栄し、明治後期からは鉄の積出港になり、湾の埋め立てによって工場地帯ができた。黒崎は大いに発展した。

八幡西区の中では、どんな所に吉武が多いのか。人口比で見ると、市瀬で一・七％、野面で一％、上上津役で〇・八％と、これらの地域が吉武氏の割合が高い。いずれも黒崎港からは遠い。市瀬、上上津役は山手である。野面からは遠賀川（石炭を運んだ川）が近いようではあるが、二㎞ぐらいは離れている。上上津役と市瀬は遠賀川からもかなり離れている。これらの地域は、商工業地域ではなく、山手の住宅地である。八幡の吉武氏の大部分は明治以後に八幡の工業の発展によって各地から流入して来た人たちであろう。だからこそ、旧市街よりも新たに開発された山手の住宅地に多いのではないかと思う。吉武氏の割合が高いのは、やはり福岡県内や大分県、山口県など、吉武氏が多い近県からの人口流入があったからではなかろうか。

第二章　福岡県・筑後

第一節　久留米市

1 筑後の中心都市

久留米は人口が三十万四六〇〇人（平成二十七年〔二〇一五〕）、福岡県第三の都市で、筑後の中心都市である。古代には高良山（こうらさん）の麓に筑後国府があった。国府の場所は、合川町（あいかわまち）、朝妻町（あさづままち）、御井町（みいまち）にかけての地域で時期によって移動した。

久留米は、博多から鹿児島に至る南北の道と、大分から佐賀・長崎に至る東西の道が交わる所で、古代から九州の交通の要地である。筑後川の水運もあったので商工業が発達し、人口が集まった。南北朝期には、南朝方の征西府が高良山に置かれていた時期があった。

久留米市における吉武姓は約四百人で、全国の都市の中では多いといえる。「姓氏語源辞典」によれば、市町村の吉武氏の人口では、山口県防府市、福岡県宗像市、大分県国東市に次いで多く、四位である。ただし、区別になっている政令指定都市の北九州市は、全区を合計すると約七四〇人、同様に福岡市が約六五〇人となるので久留米市は六位である。

久留米市の吉武氏の割合は〇・一四七％で、全国の市町村で二十位であり、高いといえる。

ただし、久留米市の中で吉武氏が多い所は、旧城下町ではなく、近年まで別の町であった郊外の地域である。城島町下青木地区に約一三〇人、三潴町田川に約三十人、田主丸町竹野に約二十人、荒木町荒木に約二十人などとなっている。下青木と竹野は、筑後川水運との関係もありそうであるが、下青木は、吉武氏の多い大木町からの移住が推測される。竹野は吉井町の隣町であり、両方に吉武姓があるので、その交流が想像できる。田川は、江戸時代に久留米藩の命で大木町蛭池の吉武氏が開拓のために移住した所である。

久留米を中心として周辺の農村では、江戸時代から、農業だけでなく、はぜろう、和傘、ござ、久留米絣などの特産品があり、豊かな地域であった。足袋製造の伝統産業の基礎の上に、ゴム底の地下足袋や運動靴づくりが発展し、さらに時代の波に乗って自動車・航空機のタイヤづくりへと成長し、世界的なメーカーが育つまでになった。そういう土地柄から久留米で商売に成功した吉武家もあった。

2 城島町下青木

久留米市城島町の下青木地区には吉武氏が多い。「姓氏語源辞典」によると、小地域別では全国で、宗像市日の里地区（約二百人）に次いで第二位の約一三〇人である。割合でも二二・一％と高い。

現在の城島町中心部の形ができたのは、三潴郡中央部、西牟田とその周辺の支配者であった西牟田氏が、戦国時代末期にここに移住して、城館と城下町を作ったときからである。豊後の大友氏や肥前の龍造寺氏などが筑後に介入するようになり、西牟田や生津の城では守り切れないと考えたからであろう。天正十一年（一五八三）に、西牟田家周（家親とも）が城島城を築いたという。城は、西は筑後川に面し、他の三方面には、幾重にも堀を巡らしていたようである。

城島城の堀の外側は広い湿地帯で、しかも三潴郡や佐賀平野に特徴的な、足をとられる粘土質の土地であり、平城ながら守りの堅い城であったという。しかし、結局この城は、わずか三年後（天正十四年）、島津の大軍によって攻め落とされた。西牟田氏は佐賀の龍造寺氏を頼って落ち、西牟田氏の三潴郡支配は終わった。城島城跡には、現在は天満神社と城島小学校がある。

城島町下青木に多い吉武氏の起源、由来については、下青木の吉武の元家といわれている家やその知人など、数軒お尋ねしたが、特に何も伝わっていないとのことであった。

私は、西牟田氏が城島に城を築いた戦国時代末期に、西牟田氏の支配下にあった大木町の吉武氏が移住を命じられて、下青木地区の開発に当たったのではないかと推測している。これは、江戸時代に三潴郡田川の開拓のために、沼沢地開拓の経験を持つ大木町の吉武氏が久留米藩から移住を命じられたことがあったことからの連想である。

また、もう一つ手がかりがある。城島町下青木の氏神は広門神社であるが、この神社は大木町横溝の広門神社から分霊されたものではないかと思われるからである。

南筑後には三カ所の広門神社があるが、それらの中で大木町横溝（旧大溝村大字横溝字宮ノ前）の広門神社が最も古く、平安時代初期の元慶二年（八七八）摂津の住吉神社から勧請したと伝えられている（大日本神祇会福岡県支部編『福岡県神社誌』下巻、一九四五年）。しかも横溝の近くには大角（おおずみ）など平安時代以来、吉武氏がいたと推定できる地区がある。したがって、戦国時代末期に、大溝村あたりから城島の開拓のために移住を命じられた人たちがいて、以前住んでいた所から神社を分霊したのではないかと想像するのである。なお、電話帳や神社の碑などを見たが、横溝には現在は吉武姓の家はないようである。

下青木という地区は大川市にもあるが、江戸時代には三潴郡青木村という一つの村であった。元禄十四年（一七〇一）に上青木・下青木に分離し、明治二十二年（一八八九）に下青木村はさらに二つに分かれた。それらが、城島町下青木と大川市下青木とになったわけである。大川市に入ったのは八つの字（沖田、佐ノ江、北境、南境、青木分、北青木分、六反田、古布知字）で、三叉村に入り、三叉村は、昭和二十九年（一九五四）、大川市に入った。

右に八つの字名をわざわざ挙げたのは、「吉武」または「吉竹」という地名が大川市下青木にあったとする資料があるからである。例えば、『大川の民俗 ― 大川市民俗聞き取り調査報告書 第二集』（大川市教育委員会、二〇〇三年）は、大川市下青木に吉武地区があったと記載している。しかし、地元で尋ねて回ったが、吉武という地名の記憶がある人はなく、むしろ否定的な反応があった。『福岡県史資料』第三輯（一九三四年）の「明治二十二年町村合併調書」の記載において、「古布知字」が「古武、知字」となっているために、「古武」を「吉武」と読み誤ったのだと思う。

なお、吉武姓は大川市下青木にはないようである。

ちなみに、城島町や大川市は、名前からも分かるとおり、元は、筑後川の洲や自然堤防として形成された土地である。大川の「三叉」という地名も、筑後川の流れが分かれる所の地名であったものといわれている。青木地区の中でも一番川寄りの地域は「青木島」というが、江戸時代初期の慶長年間（一五九六〜一六一五）から人々が住むようになったという。城島町には、条里制の遺構が少ないそうである。しかし、これは必ずしも水田開発が遅かったからではなく、この地域における河川の氾濫が多かった結果であると考えられている。城島に限らず、筑後地方では、筑後川や矢部川などの河川の氾濫の影響が近年までそれだけ大きかったのである。

第二節　うきは市

うきは市新治の末石天満宮。鳥居に吉武氏の名がある

うきは市は筑後川中流域の町で、久留米市の東隣りになる。江戸時代は久留米藩領であった。うきは市にも吉武氏がいる。「姓氏語源辞典」では約三十人、割合は〇・〇七一五％で、多いとはいえないが、その大部分が吉井町新治（にいはる）地区に集中している。新治地区では吉武氏の割合が一・八三％と高い。

新治地区は、うきは市西部の市役所の北側の地区で、大体の範囲としては、西は美津留（みつる）川から東は浮羽青果卸売市場に挟まれた地域である。農地が広がっている地域であるが、国道二一〇号線バイパス周辺は家が多い。

明治九年（一八七六）に、江戸時代の小さい四村、末石、稲崎、金本、三牟田（みむた）が合併して新治村となった。これら小村は現在も小字として残っている。新治村は、さらに明治二十二年に、西隣の江南（えなみ）、八和田（やわた）、生葉（いくは）の三村と合併して「大きな江南村」になった。大きな江南村に属していた名残として、現在も新治地区は江南小学校（吉井町八和田）の通学区域である。しかし、明治二十二年にできた新治を含む大きな江南村は、昭和三十年（一九五五年）に浮羽郡吉井町が発足したときに廃止となった。したがって現在のうきは市吉井町の江南地区、新治地区は、明治九年当時の併存した江南村、新治村の関係に戻っている。

吉武氏は、新治地区の中の字・末石（旧末石村）に集中しているようである。末石にある墓石の銘や、末石天満宮の寄付者名の石碑に、吉武の名が多い。天保十年（一八三九）の銘がある鳥居にも世話人として柳氏と吉武氏の名が彫ってある。幕末の末石村庄屋は柳氏であったらしいが、吉武氏も有力な農家であったことが推測できる。隣の田主丸町竹野にも吉武姓が約二十人ほどある。この筑後川流域の吉武氏の祖先は、筑後川の水運に携わっていた人々ではないかと想像する。

昔の「大きな江南村」の地域は、筑後川の氾濫原（はんらんげん）の自然堤防で、案外標高が高い。江南小学校の向かいの公民館には標高二七ｍと書いた説明板がある。江戸時代の初期まで、ほとんど天水だよりで水稲が作れない畑作の農村であった。

筑後川の大石堰。丸石積み護岸の手前が取水路

吉井町や西隣の久留米市田主丸町のあたりは、巨瀬（こせ）川と筑後川に挟まれた「川辺」の地区である。巨瀬川は水縄（みのう）山系から来ている。水縄山近くの「山辺」地区では古代から水田が開かれ、条里制遺構を残している。これに対して、筑後川に近い地区は水田化が遅れ、江戸時代の一六七〇年代に大石・長野水道が完成してからようやく水田化が進んだという（坂本紘二・外井哲志「筑後川中流域における水利の技術システムの変遷に関する研究」、土木学会編『土木史研究』第十四号、一九九四年）。

現在では川辺地区も豊かな穀倉地帯になっている。これを成し遂げた先人として現在も地元で崇敬されているのが「五庄屋」である。五人の庄屋が筑後川から水を引いて吉井・田主丸の平野を潤した。五庄屋の村々があったのが江南小学校の校区域である。江南小学校の校庭には、「大石長野水道開鑿五庄屋墳墓地」の円柱石碑と「五庄屋生誕の郷　江南」の説明板がある。

五庄屋の功績は大きかったが、このような大事業ができたのは、久留米藩の力が大きかった。普請奉行であった丹羽頼母などの専門的な能力と藩の動員力、財政力がなければできなかったことである。

江戸時代には大規模な水利土木事業が全国で数多く行われた。筑後川流域だけでも、大石・長野水道の他、佐賀藩による三里に及ぶ千栗土居の構築、福岡藩による山田堰と堀川用水の整備、久留米藩による袋野用水、床島堰と江戸前用水の整備など、多くの大工事が成し遂げられた。福岡藩は、灌漑と石炭輸送のため、遠賀川（嘉麻川）から洞海湾までの運河を掘削した。

戦国時代に発達した測量・土木、石材加工、鉱山掘削などの技術が基礎となり、平和な江戸時代に、農民の生産意欲の向上や、藩による一元的支配体制の確立と相まって、こうした大規模な水利事業ができるようになったのである。

うきは市は、平成十七年（二〇〇五）に吉井町と浮羽町が合併してできた市である。吉井町の中心部は、豊後と久留米をつなぐ街道の宿場町として栄えた。白壁の美しい町屋が並び、国指定の「筑後吉井重要伝統的建造物群保存地区」となっている。明治二年に大火があったそうで、その後大正期に、耐火性のある瓦葺き・漆喰塗りの家が増え、現在のような町並みになったという。

第三節　大刀洗町

1 旧御井郡吉竹村

明治初年に作成された『旧高旧領取調帳』には、江戸時代末期の久留米藩領御井郡に「吉竹村」があったことが記載されている。この記録では村高が五十八石というから、ごく小さな地区であった。

　この吉竹村は、明治九年（一八七六）に菅野村に合併され、現在は、三井郡大刀洗町大字菅野の一部である。『角川日本地名大辞典40　福岡県』（一九八八年）には、吉竹村について「小石原川と床島用水江戸水路との交差点のやや上流の小石原川右岸に位置する」とあり、『日本歴史地名大系41　福岡県の地名』（前掲書）には、菅野村について「小石原川下流左岸に位置し、西は小石原川を挟んで吉竹村、下川村に接する」とある。町役場の地籍図で確認したが、吉竹地区は、確かに小石原川右岸（西側）、菅野橋の西北側にあった。菅野地区の西北の端、大堰神社の上流三〇〇ｍぐらい北の地域である。

　地元で数名の人に尋ねてみたが、どの人も吉竹村があったことを知らなかった。地元では「吉竹」の地名は消えようとしている。

　菅野橋は小石原川にかかる長さ六〇ｍの鉄筋コンクリート橋であったが、平成三十年（二〇一八）七月の西日本を広範囲に襲った豪雨で川底が削られて橋脚が傾き、中央部が崩落した。三年を経て令和三年（二〇二一）六月に新しい橋が完成している。

　吉竹村は、室町時代・戦国期には「吉武村」と書いたようである。豊後の大友氏が筑後に進出したとき、天文五年（一五三六）に大友義鑑が家来の賀来民部丞に「三井郡吉武之内六町分」をあてがうという文書が残っている（「柞原八幡宮文書」、『大分県史料9　第二部』大分県立教育研究所、一九五六年）。「三井郡吉武」としか書いていないが、おそらく明治九年まで存在した吉竹村のことであろう。当時は村と呼んだのか、それともまだ名であったのか、そのあたりは不明である。郡名については、戦国時代は「御井郡」が正規の書き方であったが、「御」は皇室につながる用語として遠慮して、「三井」と書くということが昔は慣例として行われていたようである。

なお、明治二十九年四月からは「三井郡」となるが、それまでの御井郡・御原郡・山本郡の範囲をカバーして作られた。しかしその後、旧山本郡や三井郡の広範な地域が久留米市に入って、また小郡市ができて旧御原郡の西域をカバーしたので、現在の三井郡は旧御井郡よりもかなり狭くなり、大刀洗町一町だけになっている。やはりここも吉武か吉竹という名(みよう)があったのであろう。名は九世紀半ばぐらいから生まれ、全国各地に広がったのは平安時代の九世紀末か十世紀初めごろのことであり、この時代にこの吉竹名も生まれたのであろう。明治九年までは「御井郡吉竹村」と表記されていたらしい。明治九年吉竹村は菅野村に合併され、明治二十二年菅野村は大堰村に合併され、前述のとおり、明治二十九年四月から新郡制の三井郡となった。三井郡大堰村大字菅野字吉竹となったわけである。さらに昭和三十年(一九五五)三月、大刀洗村・本郷村・大堰村が合併し、大刀洗町が発足した(『角川日本地名大辞典40 福岡県』前掲書)。

2旧御原郡の高橋氏と三原氏

平安時代から室町・戦国時代にかけて、御原郡の東部、現在の大刀洗町には、高橋家と三原家という名家があった。

高橋氏は、大蔵氏の子孫で、筑前の原田氏や秋月氏と同族であると伝えられている。大蔵春実(はるざね)は、藤原純友(すみとも)の乱のとき、追捕使(ついぶし)の主典(さかん)として従軍し、武勲を立てた功によって大宰府の府官となり、筑前に定着した。その子孫の中には、御原郡、夜須(やす)郡あたりの荘園を管理する荘官になった人たちもいた。そのうち、現在の大刀洗町の下高橋(竈門(かまど)神社あたり)に住んだ家が高橋氏を名乗ったという。

室町時代に高橋氏は足利将軍に仕えるため筑後を離れたという。その後九州に戻って豊後の大友家に仕えたが、高橋氏の血筋は途絶えた。その後、豊後の大友宗麟(そうりん)が筑後に進出してから、筑後高橋家を再興した。そして戦国末期、高橋紹雲（吉弘鎮理）が当主のとき、薩摩軍が北上してきた。紹雲は太宰府の岩屋城に籠城して戦ったが、敗れて自害した。この紹雲の長男・高橋統虎は、立花道雪（戸次鑑連）の養子となって立花城（福岡市東区）にいたので生き残り、豊臣秀吉の九州制覇の前触れとして太宰府を奪還し、薩摩まで攻め込んだ。その功により、秀吉の直臣大名に取り立てられ、柳川八万石を領する大名・立花宗茂となった。宗茂の弟・高橋統増（立花直次）は三池郡江浦（みやま市高田町江浦）を与えられた。

三原氏は、高橋氏がいた下高橋から約四㎞ぐらい東、朝倉市寄りの大刀洗町本郷に本拠を置いた一族である。この三原氏から分かれて吉武姓となった家があるので少し詳しく述べる。

三原氏の始祖は三原弾正時勝と伝えられている。この人は大同四年（八〇九）に亡くなったと伝わっている。そして、建久年間（一一九〇～九九）に原田種直の子・種朝が三原氏を継いだという。それ以後、大蔵系氏族と見なされるようになったと考えられる。

しかし、三原弾正の出自については分からないことが多い。戦国武将の始祖の伝承において、平安初期のどこの誰か分からない人物を持ち出す例はあまり聞かない。平安中期や末期の戦いで名を上げた源平藤橘の血筋の人を始祖とするのが大勢である。また弾正という名前も中世的である。戦国大名であった松永久秀の通称が弾正であったように、弾正は戦国時代以降の武士の通称ではないかとも思える。さらに、時勝が出家した動機として「おしどり物語」が伝承されている。三原弾正は、豊後への旅の途中で夫婦のオシドリを弓で射たことがきっかけで出家したという話であるが、これも中世的である。

稲次成令は、大正時代に『吉武氏系譜並資料』（久留米市教育委員会所蔵）をまとめているが、その中で、弾正の没年は大同四年ではなく、大永四年（一五二四）の間違いであろうと述べている。成令は、参考資料として、江戸時代後期に伊藤常足が著した『太宰管内志』を紹介しているが、その中で三原弾正は「大友の旗下」となっている。

三原氏は、南北朝期や戦国時代を、御原郡本郷に城を置いて生き抜いた。本郷城は、東西一一〇m、南北一五〇mという規模の平城であったという。城跡は、現在は本郷小学校北側の林になっている所で、隣接する佐々木家が所有している。その門前に「史蹟　三原城址」の石碑が立っている。

戦国時代末期に、薩摩軍が北上したとき、当主・三原紹心（じょうしん）は本郷城を捨てて、太宰府の岩屋城で高橋紹雲と共に戦ったが戦死した。三原紹心の子・清右衛門も戦死したが、孫の三原種久が生き残り、三池江浦の城主となった高橋統増（立花直次）に仕えたという。

しかし、関ヶ原の合戦で立花宗茂・直次兄弟は、西方に付き、敗戦となり改易された。宗茂・直次兄弟は肥後の加藤家預かりとなり、三原氏も肥後に移住したといわれている。

その後、立花兄弟は徳川幕府から許され、立花宗茂は陸奥棚倉（福島県東白川郡棚倉町）藩主を経て、元和六年（一六二〇）に再び柳川藩主となった。直次の子・種次は、徳川秀忠のとき旗本に採用され、元和七年に三池藩主となった。このとき三原氏の一族の誰かが再び三池藩の立花氏に仕えた可能性は十分あると思う。

先にふれた『吉武氏系譜並資料』によれば、久留米には、三原氏の子孫で吉武を名乗る家があったという。この資料は、元々、吉武家にあった過去帳などの記録を、大正時代に稲次成令が託されて整理したものと思われる。三原氏の始祖のことなど古い話については、成令が、先ほどの『太宰管内志』や矢野一貞の『筑後将士軍談』などを参考にしながらまとめたものである。資料中の年代には何カ所も矛盾するところがあり、なかなか理解しにくいが、私の推測を交えて、書かれている年号よりも事柄の順序を優先して三原系吉武本家の系譜を読めば次のようになる。

元文年中（一七三六～四一）のこと、御原郡本郷城主の子孫・三原忠左衛門種興（たねおき）という人が、三池藩立花家の家老であったが、故あって辞去して浪人となり、下妻郡志村（筑後市大字志）の桑原家に厄介になった後、上妻郡蔵数村（筑後市蔵数）で没した。その後、二代浪人が続く。その後、三原民部介時證が御原郡吉武村（吉竹村でなく吉武村と記載）に戻り、姓を吉武と改めた。吉武吉左衛門利統が久留米城下瀬下で醤油屋（伏見屋）を始めたが、火事で廃業。吉武太左衛門治繁が久留米藩家老有馬主膳守居公に仕えた。その子平三郎も守居公に仕え、平三郎のときに三潴郡京隈村（久留米市京町）に転居。吉武養蔵は有馬主膳重弘公に仕え、江戸勤務となる。養蔵死後、その子らも早逝したので三原家から養子（歴蔵）を取り、吉武歴蔵が重弘公に仕える。歴蔵の時、明治維新を迎えることとなった。

　この資料には三原忠左衛門が三池藩を離れた理由は書かれていないが、思い当たる事件がある。第七代三池藩主・立花種周は優秀な人であったらしく、寛政の改革に起用され、若年寄という要職に就き、蝦夷地総監として対ロシアの防備にも当たっていた。しかし、徳川家斉が将軍になると寛政の改革への反発が表面化し、文化二年（一八〇五）十二月、種周は幕府の職を解任され、隠居と蟄居を命じられた。加えて、翌文化三年六月には、わずか十二歳で三池藩主となった立花種善は、奥州岩代の下手渡（福島県伊達市）への国替えを命じられたのである。

　岩代は、当時の九州人には想像もつかない遠国であったし、寒冷地で、表向きの石高は三池も下手渡も同じ一万石であったが、実際の米の取れ高はかなり差があったようである。このため藩士のうち、下手渡へ随行したのは、江戸詰め藩士は別として、三池在住の藩士九十八人のうちわずか四十二人であったという（林洋海『シリーズ藩物語　三池藩（下手渡藩）』現代書館、二〇一八年）。このとき三原氏も三池藩を離れて浪人となったのではなかろうか。なお、立花家は、四十四年後の嘉永三年（一八五〇）に、三池の領地を半分取り戻すことを許可された（半知復封）。

元文と文化では半世紀あまり時代がずれるが、家伝ではその程度の間違いはあり得ないことではなかろうと考えてよいかどうか、迷うところである。

現在、大刀洗町菅野の吉竹地区や本郷には、吉武という名の家は見当たらない。

第四節　大木町とその周辺

1 蛭池・侍島・井田・立石

南筑後では、吉武姓がかなり多いが、特定の地域に偏って存在している。筑後市に約二百人、大牟田市に約二百人、大木町に約百人、そして大川市と柳川市にそれぞれ約六十人がいる。あとの市町には吉武氏はほとんどいない。しかも、それぞれの市の中でも特定の地域に集中している。

ここではまず、大木町とその周辺について述べる。

筑後市では井田（せいでん）に約八十人がいる。井田は、吉武氏の割合も九・九五%と非常に高い。

柳川市では立石に約三十人がいる。立石地区も吉武氏の割合が四・〇四%と高い。

筑後市井田と柳川市立石は、大木町に隣接している地域である。

大木町は蛭池が約五十人で吉武氏の割合は七・七九%、侍島（さむらいじま）が約三十人で吉武氏の割合は七・四五%である。

大木町を中心に、井田と立石を加えた地域は同じ吉武氏の歴史を共有している地域かもしれない。井田は三潴郡大木町蛭池の南隣、立石は大木町三八松（みやまつ）の西隣になる。

大川市では酒見（さけみ）に約二十人がいる。酒見は風浪宮（ふうろうぐう）がある町で、大川市でも一番歴史が古そうな所である。古代の海人族の時代から、人々の祈願所であったのだろう。

「ネットの電話帳」による吉武姓の家

大木町蛭池　十二軒（二〇一二年版）　大木町侍島　六軒（二〇〇七年版）

筑後市井田　十七軒（二〇一二年版）　柳川市立石　七軒（二〇一二年版）

大木町の蛭池と侍島は隣同士の村で、明治二十二年（一八八九）に三潴郡木佐木村の大字となり、昭和三十年（一九五五）に大木町の大字になった。我が家の先祖代々の家があった所は、侍島と蛭池の境界に近い所で、花宗川の北側の字平松であった。

蛭池と侍島は花宗川の北側で、筑後市井田は花宗川の南側になる。花宗川から南には広大な水田が広がっている。花宗川から井田の集落までは一三〇〇m以上の距離がある。蛭池と侍島は筑後大川線（国道四四二号線・県道八三号線）に沿った集落であるが、井田は水田大川線（県道七一六号線）に沿った集落である。

井田という村は、明治九年に下妻郡の井上村と下牟田村が合併して生まれた。そして明治二十九年に八女郡水田村大字井田に、さらに昭和二十九年四月に八女郡が分かれて、その南西部が筑後市になったという経緯がある。

侍島には「吉武正右衛門尉菅原秀長」の名がある板碑があったと『大木町誌』（一九九三年）は記す。板碑は仏教の供養塔で、阿弥陀三尊を表す梵字などを自然石の平面に彫ったものである。南北朝期に作られたものが多い。吉武正右衛門尉の碑は、江戸時代の墓碑であると書いた資料も見たことがあるので、板碑なのかどうか疑問もある。私は現物を見ていないのでなんともいえない。だいぶ探したが所在が分からない。農道の改良工事や区画整理事業が行われたときに石碑・墓石を移動させたのであろう。侍島のどこかの農家の庭に置かれているのではないかと思われる。もし心当たりのある方がいれば教えてほしい。

この柳川市立石から大木町侍島、蛭池、筑後市井田にかけての地域に共通する歴史は何かと考えてみると、一つだけ思い至るのは、平安時代の「藤原純友の乱」との関係である。この事件のとき、筑前から吉武氏を含む海民たちがこの地域に来たのではないかと想像する。

柳川市立石地区は、柳川市の北東部になり、最寄り駅は西鉄蒲池（かまち）駅である。

柳川には、平安時代中期の天慶四年（九四一）の「藤原純友の乱」のとき、「蒲池の合戦」があったという伝承がある（渡辺村男『旧柳川藩志』〔青潮社、一九八〇年〕、堤伝『柳川史略』〔柳川郷土クラブ、一九九〇年〕など）。藤原純友の弟の純乗（すみのり）が率いる海賊軍が、柳川で橘公頼（たちばなのきみより）が率いる大宰府軍と合戦となり、海賊側が敗れたという。この説を信じるならば、蒲池の合戦で敗れた海賊兵たちの中に吉武氏がいて、敗戦の後、このあたりに隠れ、住み着いたのではないかという想像ができる。「二尊寺縁起」では安和年間（九六八〜七〇）に吉武と名乗る兄弟がいたという。純友の乱の大体三十年後のことであり、時期は合う。

しかし、私がこれまでに読んだ純友の乱研究の書籍では、海賊軍が筑後に回ったとか、蒲池で戦いがあったという記事はない。

柳川で藤原純乗が率いる賊軍と大宰大弐・橘公頼が率いる大宰府軍との合戦があったという話は、『前太平記』（巻第十）にある話である。この本は江戸時代の通俗的な読み物で面白いが、史実を学ぶための歴史書とはいいがたいと思う。この本の話に尾ひれが付いて、純乗が一軍を率いて有明海から柳川に上陸し、蒲池で橘公頼軍と戦ったという話が作られたのではないか。

橘公頼についても、天慶の乱の頃には中納言という閣僚クラスの高い身分にあった。六十歳代の高齢でもあったし、前線に出て戦うことはあり得ない。純友が大宰府を襲撃した天慶四年五〜六月ごろには亡くなっていた（『純友追討記』、『師守記』裏書、『公卿補任』）。

ただし、海賊軍の一部が大宰府を襲った後そのまま南下して筑後に進出したとか、あるいは大宰府で政府軍に敗れた後、筑後へ逃亡した賊兵たちがいたという可能性は考えられるであろう。大宰府から筑後国府まで二六km、大木町まで四五km、蒲池まで五〇kmぐらいである。徒歩でも久留米まで一日、柳川で二日の距離である。

久留米市教育委員会の筑後国府発掘調査報告書は、十世紀中頃に第二期の筑後国府が焼失したことが発掘調査によって判明したが、この焼失は純友の乱の余波による可能性が高いという見方を示している（『久留米市文化財調査報告書　第二八四集　筑後国府跡（二）』二〇〇九年）。

2「二尊寺縁起」

(1)「二尊寺縁起」の要旨

我が家の寺は、江戸時代から、三潴郡大木町蛭池の浄土宗の寺・二尊寺である。寺には草創のいきさつを記した「縁起」というものが伝わっていることが多いが、二尊寺にも縁起がある。そしてその縁起には、平安時代中期、安和年間（九六八〜七〇）に、三潴郡大角（西鉄大牟田線大溝駅周辺）に吉武と名乗る二人の武士が住んでいたことが伝えられている。

「二尊寺縁起」は、元の文書は過去帳と一体なので非公開であるが、『大木町誌』（前掲書）に現代文に直したものが掲載されている。寺の話では、江戸時代中期の宝永六年（一七〇九）に書かれたものという。その要点は次のとおりである。

①平安時代の安和年間（九六八〜七〇）に、筑後国大角村に、吉武外記と吉武織部という兄弟の武士が隠れ住んでいた。
②吉武外記には娘があったが、この娘の神がかりの託宣で、大角村に平松若宮八幡という社が建てられた。
③戦国時代末期に、この地を支配していた大友氏が敗れたとき、その兵たちは筑後国を荒して帰った。この社も荒らされたが、御神体は蛭池村に移されて小社として残った。
④その後、外記の子孫の大炊助という者が蛭池の中でも元の大角に近い村境（現在の二尊寺があるあたりか）に遷宮した。
⑤吉武大司という人が若宮八幡宮を守っているときに、ある老僧が来て、阿弥陀如来と釈迦如来の木像を授け、これを神社の本地として祀るようにすすめた。大司は、若宮八幡に「二尊堂」を建てた。
⑥天正元年（一五七三）、吉武大司の子孫の傳誉住意上人が「大司山釈在院二尊寺」という寺号を定めて寺院を開基した。

この縁起は、江戸時代に文章化したものらしいので、それまでの口伝の過程における変化もあるであろうし、江戸時代の記述者がいろいろの伝承を再編成してストーリーをまとめたのかもしれない。したがって、どの部分が史実かを慎重に見極めないといけない。

（2）外記と織部

「二尊寺縁起」によれば、平安時代の安和年間に、三潴郡大角あたりに吉武外記や吉武織部という兄弟の武士がいたという。事実なら三潴郡に吉武氏がいた最古の記録になる。

そこでまず注意すべきは、吉武外記や織部という武士の名前である。

「外記」は、律令制の太政官（今なら内閣）に属する四等官の文官で、主典（さかん）に相当する。大外記と少外記が任命されていた。六位の職で、六～八人しかいなかった。天皇の詔勅案や天皇への上奏文などの文案をチェックするような仕事をした。平安時代の政府の公的日誌は「外記日記」である。無事勤め上げると従五位下になり、受領（今なら県知事）の候補者名簿に登載されたという（佐藤信編『古代史講義 ―― 邪馬台国から平安時代まで』ちくま新書、二〇一八年）。

「織部」は、役所の名称「織部司（おりべのつかさ）」にちなんだ疑似官職名の一種である。「織部司」は大蔵省に属する重要な役所であった。絹・綿・布といった繊維製品は、当時の経済において貨幣の代わりとなる重要物品だったので、いわば、織部司は、今なら紙幣を作る国立印刷局（財務省所管）のような役割を果たしていたといえよう。織部司の長官が「織部正（おりべのかみ）」で、六位の職であった。単に繊維品の朝廷需要を計算するだけではなく、財政全般の知識が必要な仕事であったと思われる。

したがって、外記も、織部も、都の貴族がやる仕事で、地方武士とは無縁の高位の官職である。律令官職が機能していた平安時代には地方の武士が名乗るはずがないと思われる。私の知る限り、外記や織部が武士の通称として出てくるのは戦国末期ぐらいからである。江戸時代には主に各藩幹部クラスの武士の名前として使われたらしい（尾脇秀和『氏名の誕生 ―― 江戸時代の名前はなぜ消えたのか』前掲書）。

外記を名乗った武将としては、豊臣秀吉の家臣の土方雄則（ひじかたかつのり）や、江戸時代後期の旗本の松平忠寛（ただひろ）がいた。

織部を名乗った人では、やはり豊臣家臣で、武将で茶人であった古田重燃（しげなり）がいた。また、久留米藩の有馬照長（てるなが）がいた。この人は、茶道好きの第九代藩主・有馬頼徳（よりのり）に家老として仕えた人で、自身も茶道に親しんだ人である。古田織部の名を知っていて、自分も織部を名乗ったのであろう。久留米藩はその祖・有馬則頼（のりより）が秀吉の茶会の相伴衆(しょうばんしゅう)で、初代藩主・豊氏(とようじ)は「利休七哲」の一人とされているから、古田織部との関係があった可能性がある。

このように外記や織部を名乗った人たちは、戦国末期から江戸時代初期にかけての高い身分の武士たちである。

吉武外記や織部という名前は、二尊寺の僧が、江戸時代の宝永年間に、古文書にあった二尊寺の創設の経緯に関する記録を整理して、寺の縁起としてまとめたときに付けたのではなかろうか。なお、縁起中の「蛭池」という地名も、江戸時代末期、慶応年間(一八六五〜六八)にできたものであるので、縁起は幕末にも更新されていると思われる。

(3) 読み取れること

このように外記や織部という名前には問題があるが、平安時代に吉武という名字の兄弟が大角にいたという話は信用してよいのではなかろうか。ストーリーの中には寺の昔話らしい奇跡の話は入ってはいるが、あまり違和感がない。元は若宮八幡という小さな神社から始まったというのも、この地には若宮八幡の小社が多いことから真実味がある。そこに本地として仏像が祀られ、寺が開基されたという経過はありそうなことで、自然であると思う。

外記や織部という名前ではなかったと思われるが、平安時代の十世紀後半に吉武という名字を名乗る浪人の兄弟が隠れ住んでいたというのは、史実と考えてもよいのではなかろうか。平安時代には武者はいたが、江戸時代の武士のような身分はなかった。兄弟は弓馬の技を身に付け、読み書き能力のある人たちであったということであろう。

十世紀には既に筑前早良郡には吉武という名字を持つ有力農民層がいて、なんらかの事情で早良郡を出た人たちが筑後に来ていたのかもしれない。その事情とは、人口の増加による耕地の不足、戦いによる敗北、領主の交代などいろいろなきっかけがあったであろう。

三潴郡大木町の吉武氏の始まりについて、私の父は、祖父から聞いた話として、壇ノ浦合戦に参戦した人たちが、敗戦後、玖珠山中に逃れ、さらにその後、三潴郡に入植したという話をしていた。しかし、安和年間（九六八〜七〇）に既に吉武氏が大角にいたのなら、源平争乱（治承・寿永の乱、一一八〇〜八五）よりずっと前のことである。

そうなると、十世紀には、戦乱とは関係のない開拓入植が行われていた可能性も考えられる。しかし、「隠れ住んでいた」という「二尊寺縁起」の表現からすると、やはり戦いの敗者であったのではないかという想像が出て来る。

時代としてふさわしいのは、天慶四年（九四一）の「藤原純友の乱」である。吉武兄弟は、藤原純友の乱のとき、純友が率いる反乱軍に従軍したのかもしれない。反乱軍の主力は伊予や豊後の元衛府舎人や海民であったから、道案内のために博多湾岸の海民が動員された可能性がある。そして大宰府占拠の後、勢いに乗って筑後に進出したか、あるいは朝廷の追討軍に追われて蒲池・大角あたりに隠れ住んだ人たちであった可能性もあるのではないかと考える。

ただし、吉武氏が三潴郡に来たのは天慶四年の乱のときだけとは限らない。ずっと後の時代の壇ノ浦合戦後や、鎌倉時代、室町時代になって三潴郡に入植した吉武氏もいたであろう。

3 吉武氏祖神の碑

三潴郡大木町蛭池の字丸吉の田地の中に「吉武氏祖神」と刻む高さ一mほどの石碑がある。

国道四四二号線の蛭池のバス停留所のすぐ近くに三島保育園の案内板があり、そこから北に三島神社・三島保育園の方に行く道路がある。この道路を北へ一〇〇mぐらい行ったあたりに牟田鉄工の工場があり、工場の西一〇〇mぐらいに観音堂があり、その敷地に「吉武氏祖神」の碑がある。

この石碑には、室町時代に、広池（蛭池の江戸時代までの地名）に城館を構えた牟田家村に仕えた武士として、吉武左衛門尉（さえもんのじょう）源利（みなもとのとおる）という人がいたことが記録されている。

この石碑は、江戸時代の末期、天保十五年（一八四四）に蛭池の三島神社の宮司・宮崎信敦（のぶあつ）が発起し、ゆかりの人々に呼びかけて建てたと石碑に刻まれている。この石碑は、この左衛門尉の子孫と伝わる蛭池の吉武家を中心に、近隣市町在住のゆかりの家々によって維持されて来たようである。

父からは、我が家は、左衛門尉の子孫ではなく、この石碑の維持には関わって来なかったと聞いている。蛭池には、左衛門尉以前に分かれた吉武家もあったであろうし、入植の時期を異にするいくつかの系統の吉武家があったのかもしれない。

牟田筑前守家村は、鎌倉時代から戦国時代まで、三潴郡の中央部を治めた西牟田家の九代目・重家の弟とされる。大木町教育委員会の案内板では八代目となっているが、九代目と書いた資料が多い。西牟田重家がいた時代は文明年中（一四六九～八七）とされている。戦国時代に入ったころである。したがって、広池館ができて吉武左衛門尉がいたのは、この時代のことと推定される。

西牟田氏一門の居館跡は、旧三潴郡のいくつかの土地に伝承されているが、その一つが、広池館である。この館の規模は、東西三十九間、南北三十間で堀に囲まれていたというからかなり大きい。牟田家村が広池（蛭池）を治めたときの居館である。

この碑には、次のような内容が書かれている。

「吉武左衛門尉源利は、西牟田の別家、当村の館の城主・牟田筑前守家村公の第一の臣であったが、この場所を宅地とした。これによりこの地を丸吉と呼ぶ。吉武左衛門尉の子孫は数十の分家に分かれている。本家は代々久留米藩の下見役という役目を与えられていたが、宝暦の初め（一七五〇年代）、この家の吉武助左衛門は久留米藩主の命を受けて、田川村に転居した。この村の氏人たちは吉武左衛門尉を氏族の祖神とし、毎年九月十一日を祭日として祀ってきたが、崇敬の対象物がなかったので、宮崎信敦が、吉武氏の人たちに相談して、このたび、神体を建て御霊を鎮め奉ることになった」

吉武助左衛門が田川に転居したのは、三潴郡田川の荒れ地の開墾のためであった。なぜ広池の吉武氏が動員されたのか。それは、この地域の農民には長年やってきた沼沢地の開拓の経験があったからであろう。

三潴郡大木町蛭池の吉武氏祖神の碑

大木町は、元は有明海の干潟で、江戸時代まであちこちに沼沢地が残っていたようである。久留米藩の土木技師であった草野又六（山本郡の農民出身で藩士勤務は一七一二〜三一）がこの地域の開拓を進め、村人を公役に駆り出したので、農民の反感を買っていたことが地元の伝承として残っている。また、江戸時代でも、広池は沼が多く夜はあぶないので「昼行け」と言われていたという話も伝承されている。大木町の先祖は、沼沢地の葦を苅り、水路を掘って、水田と宅地や畑を造成して住めるようにしてきた。吉武氏も、そういう沼沢地開墾の経験を持つ人々であったので、先に述べた城島の開発や、三潴郡田川の開墾の際に動員されたのではなかろうか。

吉武氏祖神の碑の全文を記す。

吉武左衛門尉源利主者西牟田之別家當邑舘之城主牟田筑前守家村公之第一之臣尓而此攸乎宅地止為良礼企依之丸吉止号子孫数十家尓別留卌本家者下見役乎蒙代々家業止為利然尓宝暦始吉武助左衛門公乃命乎蒙田川村尓轉居為里太尓此邑之氏人等利基主乎祖神止崇九月十一日乎祭日止定歳久志久祭来礼共御像奈介連波信敦氏人尓議而此度神体乎建御霊乎鎮奉侍畢

如此俚文尓記志侍留者氏人等之見安加良牟賀太免也

天保十五年甲辰歳九月十一日

神主従五位下

宮崎阿波守藤原朝臣信敦敬記

奉寄進

田川村　吉武勘七

大犬塚村　吉武恵七

田川村　吉武勇七、同助左エ門、同正右エ門、柴田忠藏、吉武仙助、同太八
田町　吉武太平、同清助、同卯五郎、同伊助、吉武金左エ門、同喜右エ門、同教助、同為八、同吉次郎、同喜平、近藤庄左エ門、同平作、同伍作、同文蔵、吉武喜七、同為右エ門
莪島　吉武宗右エ門、同忠兵エ、同兵助、同忠助
立石　吉武嘉作、同弥平次、同利右エ門、同利作
井上村　吉武久平、同伊太郎、同佐平、同次郎エ門、同礒八（残り六名は判読不能）

以上のように四十三人の名がある。

吉武氏祖神の碑には、神体を建てたとあるが、神体とはこの石碑自体のことであろう。

4 吉武左衛門尉源利

吉武左衛門尉が仕えた牟田氏の本家は、旧三潴郡の豪族であった西牟田家で、戦国期の筑後十五将に数えられた一族であった。

大木町教育委員会の蛭池の館跡の案内板では、牟田家村が蛭池に館を築いたのは「一四六九年ごろ」としている。文明年中（一四六九～八七）としている資料もある。戦国時代の初期である。このころ、西牟田氏が蛭池の沼沢地を開発して田地化し、その管理のために家村が派遣され、館を建てて住んだのであろう。そして、現地の事情に明るい有能な管理者が必要となり、地元の名主クラスの有力農民であった吉武氏が雇われたのではなかろうか。

「左衛門尉」という官職は、律令官制における左衛門府の三等官の尉（じょう）で、大尉と少尉があった。平安末期に

は、源義経が、まさに「左衛門少尉」で、検非違使を兼務していた。本来は地方の農民武士の身分にはあり得ない名前であるが、戦国のこの時代には勝手に官職名を名乗ることが広く行われていた。西牟田氏が吉武氏を取り立てたときに与えた通称かもしれない。

「源利」は「みなもとのとおる」と読んでおく。「利」という漢字一文字の名前であるが、これは嵯峨源氏の伝統に則ったものである。嵯峨天皇の子は源という氏を与えられ、その一人が源明（あきら）、その孫が舒（のぶる）、ひ孫が善（よし）であるという。

北部九州では、肥前の松浦党の武士の名前が一文字の源氏名であったので、それを参考にしたのかもしれない。

松浦党は松浦半島各地で交易や漁業をしていた海民の連合組織であった。まとまりの中心になったのは松浦（まつら）久（ひさし）を祖とする一族といわれている。嵯峨源氏系の子孫と称し、一族は直（なおし）、清（きよし）、尭（たかし）など、源の下に漢字一字だけの名前を付けた人が多い。

松浦氏は、平氏が北部九州を支配していた時代には平氏の家人となっていた。壇ノ浦合戦では平氏の水軍の主力であったともいわれる。戦いの途中で寝返ったり、戦線離脱したりしたとも伝えられているが、最後まで平氏方で奮戦し、源氏方の捕虜になって長州に流された武将もいたという。

松浦党の武将の多くは戦後すぐ鎌倉に忠誠を誓い、その家人となった。子孫は戦国時代に滅んだ家もあったが、有力武将として江戸時代まで生き残った家もあった。

戦国時代（室町時代）の松浦党には、伊万里に吉武佐渡守（さどのかみ）源修（おさむ）という武将がいた。江戸時代の唐津藩には上級武士の中に吉武氏がいた。この人たちは松浦党・吉武氏の系譜であろうが、今のところ実証的な手がかりはない。

元寇のとき、松浦半島はもろに元軍の襲撃を受け、武将たちはまさに当事者であったので必死に戦ったが、その恩賞として、鎌倉幕府は、肥前の神埼、筑前の怡土、筑後の三潴の荘園地を細分化して与えたようである（田渕義樹『柳川の歴史1　やながわの成り立ち』柳川市、二〇一八年）。こうした機会に、松浦の武士たちが三潴郡に進出し、三潴地方に定着するという歴史があった。

こうしたことを考えると、三潴郡の吉武氏の中には、「二尊寺縁起」が伝えるように、平安時代に来た人々もいたし、元寇の終戦後に、松浦半島から三潴郡に来て住み着いた人々もいたと思われる。

柳川市蒲池と大木町は隣接した地域である。吉武左衛門尉も、元寇の後に、筑後に領地を与えられた松浦半島の武将の係累であった可能性もないとはいえない。

5 吉武左衛門尉の子孫 ―― 宮本新氏の研究

吉武左衛門尉の子孫のことについては、宮本新氏が研究され、吉武助左衛門と吉武助八（後述）は吉武左衛門尉の子孫とする論文を発表されている（「吉武助左衛門の末裔」、『久留米郷土研究会誌』久留米郷土研究会創立四十周年記念・第二十八号、二〇一二年）。

宮本氏は、自分の祖父（野口秀策）が持っていた吉武曽八（そはち）（助左衛門から数えて五代目）の手記（現在は鎌倉の野口朝太郎氏が保管）を基に、吉武助左衛門以後の系譜を調査されている。

この論文によると、江戸時代中期の助左衛門は、室町時代中期の吉武左衛門尉から数えて十四代目の子孫とされている。室町時代から江戸時代中期までの系図は掲載されていない。宮本氏は、吉武美昭氏（大分）の所蔵する吉武文書の系図によったとされているが、この文書は現在は所在が不明である。美昭氏から三潴町へ委託されたとのことであるが、その後が不明である。

（1）三潴郡田川の開拓者 ―― 吉武助左衛門

筑後に、吉武助左衛門という人は二人いた。そのうちの一人は、江戸時代中期の人で、三潴郡田川の荒れ地の開墾を行い新田開発をした人である。

「吉武氏祖神」の碑では、助左衛門は、宝暦の初めに藩命を受けて、田川村に転居と書かれている。宝暦は一七五一年から一七六四年までの間であるので、一七五〇年代に田川の開拓に入ったということであろう。碑文には書かれていないが、藩に命じられた仕事は、三潴郡田川の荒れ地で新田を開発する仕事であった。

この人の生年は不明で、明和七年（一七七〇）五月二十八日に亡くなっている。

助左衛門の墓は、『三潴町史』（一九八五年）によれば、旧大字田川東南枚（なんまい）の路傍にあったという。昭和五十七年（一九八二）に堤昭南という人が書いた『今昔三潴路』という本には、助左衛門の墓の地図が掲載されている。同書によれば、生前自ら路傍に石碑を建てたという。その子息の忠八の墓碑も発見され、二人の墓碑を並べて建てることになったというところまで記述がある。墓は平成三年（一九九一）に近隣の民家に移されたとのことである。家系は久留米市三潴町田川で続いているという。

現在、久留米市三潴町田川地区には約三十人の吉武氏がいるという（「姓氏語源辞典」）。しかし平成二十四年の電話帳では四軒しかない。

吉武助左衛門は、久留米藩の下級藩士で下見役という役職であったようである。「下見役」とは、藩の検見（けみ）役（やく）の下に置かれた職で、農村を回って稲の育ちを観察し、検見役の収穫高予測に助言をした。灌漑用の堰・水門・水道の監督も下見役の職務とされたという。責任の重い仕事である。稲づくりと農村の水事情に精通した人でないとできない仕事である。

年貢を取り立てるのは郡奉行指揮下の大庄屋、庄屋であるが、庄屋たちは自らも年貢を取られる立場であり、農民を守る立場でもあったので、藩としては庄屋だけに年貢高の見積もりを任せるわけにはいかなかったのであろう。検見役は、下見役の助言によって取れ高の見積もりを立て、藩の財政当局に申告したのであろう。

下見役は、久留米藩が正徳二年（一七一二）の改革で租税の確保のために設けた職で、幕末まで存続した。次第に増員され、最終的には二十五人の大庄屋の受け持ち地域ごとに各一人配置された。農村の庄屋格の家から優秀な人が選ばれたようである。在任中は士分待遇で帯刀を許され、十石二人扶持を与えられた。町方同心と同じぐらいで、下級武士としては標準的であったのではなかろうか。期限付き任用の武士であり、いずれ村に戻るのであるから、大庄屋との関係など、なかなかむずかしい立場であったのではないかと思う（村方の支配機構や下見役については、『久留米市史』第二巻〔一九八二年〕及び第六巻〔一九九〇年〕、古賀幸雄『久留米藩史覚書』〔久留米郷土研究会、二〇〇二年〕及び『吉井町誌』第三巻〔一九八一年〕によった）。

（2）幕末の志士――吉武助左衛門

もう一人の吉武助左衛門として、幕末に尊皇倒幕運動をした人がいる。久留米の神官で尊皇倒幕運動のリーダーであった真木（まき）和泉守（いずみのかみ）と共に行動し、歴史書や芝居でも名前が出てくる。文政七年（一八二四）生まれで、明治三十九年（一九〇六）に没している。

彼は、筑後国三潴郡田川村の生まれで、田川の開拓をした初代・助左衛門の子孫である。吉武信義または敬蔵ともいったという（石田乙次郎「勤王家吉武助左衛門の薩州行日記」、『筑後郷土史研究会誌』第十五号、一九九〇年）。

上妻郡羽犬塚（はいぬづか）村（筑後市）の山口嘉助の養子となって山口嘉兵衛と名乗っていた。しかし、山口家に実子が生まれたため家を出た。その後、上妻郡四カ村の庄屋となったが、安政五年（一八五八）にその職を辞して羽犬塚村に戻った。山口姓を称したままで、真木和泉守保臣の庵「山梔窩」で学んだ。その後、文久二年（一八六二）、和泉守らと共に久留米藩を脱藩して薩摩に入り、そのころから吉武助左衛門を名乗ったという。

真木和泉守（一八一三～六四）は、久留米の水天宮の宮司であった。尊皇攘夷の立場から久留米藩に藩政改革を建白したところ、嘉永五年（一八五二）蟄居処分を受けた（久留米藩の「嘉永の大獄」）。水田村の天満宮（実弟・大鳥居理兵衛が宮司）で謹慎しつつ、「山梔窩」を開き、近郷の若者に尊皇思想を広めた。十年間の蟄居を経て、文久二年脱藩、薩摩へ逃避した。

「山梔窩」は、現在も筑後市水田（旧八女郡水田村）の水田天満宮内にある。この神社は、最近は境内の恋木神社の方が縁結びの神様として有名になり、若い人の参詣が増えている。

吉武助左衛門は、「寺田屋事件」や「八月十八日の政変」のころは京都にいて和泉守を助けていた。真木和泉守は、急進的な動きをしたため、八月十八日の政変で京を追われ、倒幕派七卿と共に長州へ落ちた。その後、元治元年（一八六四）、朝廷での復権を目指して長州兵を率いて上京、薩摩・会津などの守備隊と戦い、敗れて自決した（「禁門の変」。山口宗之『真木和泉』吉川弘文館、一九八九年）。

助左衛門は「禁門の変」のときは久留米藩に捕縛されて牢にいたので生きながらえ、そのまま明治維新を迎えた。明治維新後は京都府庁の役人に取り立てられ、租税課に勤めたという。晩年はまた福岡に戻っている。

なお、真木和泉守の門下生の中に淵上謙三という人がいた。この人は西牟田家の出で、牟田筑前守家村（吉武左衛門尉の主君）の末裔であるという。西牟田重道という人が、戦国時代の終わりごろ、上妻郡淵上村に移住して淵上氏を称するようになったという。真木和泉守らの水田村脱出を手伝い、薩摩への逃避行にも同行した。西牟田十郎とも名乗ったという（宮本新「吉武助左衛門の末裔」前掲論文）。

（3）明治初期の功労者――吉武助八

もう一人、幕末から明治初期にかけて、三潴郡生津村の庄屋であった吉武助八という人の名が宮本氏の論文や『三潴町史』に出ている。生津村は、明治九年（一八七六）に岩古賀村と合併し、生岩村となった。今は久留米市三潴町生岩である。西鉄犬塚駅から南に一㎞ぐらい行ったあたりである。戦国時代末期の一五七〇年代に三潴郡の豪族・西牟田氏が生津城を築いた所である。

助八は、幕末期の万延元年（一八六〇）に生津村庄屋を命じられ、貧窮により志気が落ち零落していた村の立て直しに尽力して功績があり、三潴県の表彰を受けた。篠原正一『久留米人物誌』（菊竹金文堂、一九八一年）によると、助八が三潴県の表彰を受けたのは明治八年となっている。

助八の息子のことも伝わっている。息子の名は悦次郎といい、商業を志し、久留米の国武商店で絣の商いを修行し、明治三十年に久留米市通町で、国武商店の支援を得て「吉武雑貨店」を開業、洋装化の時代の波に乗って洋品雑貨の店として成功し、昭和の終戦まで続いたという。久留米市は、昭和二十年（一九四五）の八月十一日、終戦直前の大空襲で市街部が壊滅した。この店もおそらく焼失したであろう。戦後のことは不明である。

6 旧三潴郡の海の神々

ここでの旧三潴郡とは、筑後川寄りのクリークが多い地域で、城島町、三潴町、大木町、大川市、柳川市をいう。古代には水沼や水間と表記された元潟地域である。現在の三潴郡は大木町のみになってしまったが、昔の三潴郡には、久留米市西南部（大石、津福、荒木など）、筑後市の西牟田、柳川市の北西部（蒲池、立石、旧三潴郡とする。

矢加部(やかべ)など)、大川市域などが含まれていて広かった。「南筑後」というと八女市、広川町、筑後市、みやま市、大牟田市まで含まれてさらに広大であり、山地や丘陵部が入って水の国といえない部分も大きいので、あえて旧三潴郡とする。

この地域には、大川の風浪宮を始め、三島神社、住吉神社、厳島(いつくしま)神社、広門神社、琴平(ことひら)神社など、海の神々が多く祀られている。大川市がある筑後川河口は、古代からずっと、各地との交易の拠点であり続けた地域である。江戸時代から明治初期には、若津港など筑後川河口の港に入港する船の数は、博多港を上回っていたようである。

（1）三島神社

旧三潴郡の西牟田、大木町、大川市、柳川市には三島神社が多い。三嶋神社と表示する二社を含めて二十八社もある（大日本神祇会福岡県支部編『福岡県神社誌』下巻〔一九四五年〕及び三潴郡役所編『福岡県三潴郡誌』〔一九七三年再発行版、名著出版〕による）。

戦国時代に西牟田氏の支配下にあった西牟田の西本村や大木町蛭池の三島神社については、西牟田弥次郎家綱（出家名・行西）が、伊豆の三島神社から勧請したと伝えている。これは、西牟田家綱が、関東から赴任してきた鎌倉御家人であったという伝承に合わせたものであろう。西牟田氏の出自については諸説があり、真相は不明である。しかし、『久留米市史』第一巻（一九八一年）は、西牟田氏は西牟田の庄家（庄園の管理人、名主）であったことを示唆している。家綱の祖父や父の時代から隣接する上妻氏との間で管轄区域の争いがあった記録があり、また「西牟田村名主行西」名儀の寺開設の文書が残っているという。そうであるとすれば、三島神社も伊豆から分霊・勧請したというのはどうなのであろうか。

三島神社は、概して柳川の方が歴史が古い所が多いようである。三潴郡の三島神社で最も歴史が古いのは、西蒲池（柳川市大字西蒲池字宮ノ前）の三島神社（天治二年〔一一二五〕創建）である。ここが旧三潴郡域の三島神社の元宮ではないかと思える。大木町蛭池から西牟田に行くと新しい。延応（一二三九〜四〇）以降となり、江戸時代にできた所が二社ある。中間の地域は中間の時期にできている。大木町でも柳川に近い三八松（みやまつ）や筏溝（いかだみぞ）地区の三島神社は、一二〇〇年ごろに蒲池から勧請されたものと伝わっている。三島神社信仰は、西から東へ、さらには北へと広がって行った可能性がある。

柳川市西蒲池の三島神社

なお、三島神社の祭神は、本来は大山祇神（おおやまづみのかみ）である。大山祇神は、瀬戸内海の大三島（おおみしま）の神である。「三島大明神」ともいう。

大山祇の「ヤマ・ツ・ミ」とは「ヤマの霊」という意味といわれ、本来は山の神であった。地元の島民にとっては、元は田畑に水をもたらす山の神であり、農業の守護神であったのだろう。しかし、瀬戸内海を航海する人々が航海の途中で遥拝する神様として「御島様（みしま）」と呼ばれるようになったと考えられている。奈良時代の『伊予国風土記』では、既に山の神であると同時に、海の神、航海の神とされているという。

河辺秀治氏は、蛭池の三島神社は、元は若宮神社で、「若宮神社は延応以前からの産土神で千年以上の古社であるという」と述べられている（『神々の里1　福岡県の神社（改訂版）』一九九〇年、私家版、福岡県立図書館所蔵）。「延応以前」というのは、西牟田氏が地頭として関東から来る前という意味である。伝承によって異なるが、西牟田家綱は、嘉禎年中

（一二三五～三八）か延応年中（一二三九～四〇）に来たとされている。

若宮神社は古くから西日本に多い神社で、奈良時代から存続する神社もある。三潴郡にも小さな若宮神社があちこちにある。三潴の人々も瀬戸内海を通る海上輸送の仕事が増大するうちに、地元の若宮神社に大三島の神を合祀し、その後主客が変化した可能性も考えられる。

蒲池城跡之碑

柳川市西蒲池にある三島神社は、蒲池氏以来、田中氏、立花氏と歴代の柳川支配者の尊崇を受けてきた由緒ある神社である。この神社があるあたりは、少なくとも南北朝時代以来、蒲池氏の居城があった所とされている。神社から少し東、崇久寺（そうきゅうじ）の近くの民家の庭先に「蒲池城跡之跡」という石碑が地元の人たちによって建てられている。

蒲池地域は、大木町と同じ低湿な平野である。クリークが多く、城は平城であった。現在は水田地帯で、城跡らしさは何もないが、神社の周囲には水路が幾重にも巡っている。三島神社は、蒲池城の守護神として城内に祀られたのだろう。神社西方数百ｍに「田中筑後守橘忠政」の銘がある肥前鳥居がある。第二代柳川藩主が鳥居を寄進している。昔はもっと社域が広かったことが推測される。蒲池城の範囲は、おそらく三島神社も崇久寺も含む大きさであったのではなかろうか。

崇久寺は、蒲池氏の菩提寺で、蒲池家歴代当主の墓碑などが残る。鎌倉時代の創建で、初めは東福寺と称し、後醍醐天皇の勅願寺であったという。柳川の蒲池氏（下蒲池家）は天正九年（一五八一）に肥前の龍造寺氏に滅ぼされ、そのとき寺も焼かれたが、その後再建され、柳川藩主・立花家によって寺領が与えられていた。現在の建物は安政七年（一八六〇）の建築という。

西蒲池の三島神社は、『福岡県神社誌』によると、天治二年（一一二五）に伊豆の三島神社（現在の静岡県三島市の三嶋大社）から勧請したと伝える。しかし、伊豆からというのは疑問がある。一一二五年といえば、平氏滅亡の六十年も前のことで、関東には政治的にも文化的にも権威などなかった時代である。わざわざ伊豆から柳川に神様を招くことは考えにくい。

そこで、三島神社を創建した蒲池氏が、伊豆をよく知る関東出身の武士であったのかどうかが気になる。

蒲池氏の出自については諸説があるが、『柳川市史　史料編Ⅲ』（二〇〇六年）の田渕義樹氏の解説によれば、従来、蒲池家の系譜を論ずる際に元本とされて来た諸本の中では、『蒲池家譜』がより正確に蒲池氏の事績を伝えているとしている。『蒲池家譜』は、江戸時代に存続していた「上蒲池家」に伝わっていたものである。『蒲池家譜』では、蒲池氏の祖は、嵯峨源氏の源行久（ゆきひさ）であるとし、彼から四代目の満末（みつすえ）が肥前神埼荘の惣司となって九州に下り、七代目の久直のとき、初めて蒲池の地頭職を給わったとしているという。

しかし、田渕義樹氏によれば、源行久という人物のことは、信頼度が高いとされている史料の『尊卑分脈』にも『公卿補任』にも出て来ないという。満末が神埼荘の惣司になったことも、久直が蒲池の地頭になったことも、今のところ裏付け史料は見出せていないとのことである。蒲池氏の名が確実な史料に出てくる最初は、ずっと後の鎌倉時代後期の正和三年（一三一四）の文書であるという（大城美知信・田渕義樹『柳川の歴史2　蒲池氏と田尻氏』柳川市、二〇〇八年）。

蒲池氏が関東から来た武士という可能性は低いように思われる。

平安時代の蒲池氏について確実な記録がないということで、私の勝手な想像を許していただければ、蒲池氏は、西牟田氏や上妻氏と同様に地元の人であったと思われる。半農半漁の富農層、船主・網元層であったので

大三島の大山祇神社

はないかと想像する。湿地開拓で領地を増やし、海運が盛んになったその時代の波に乗って、有明海から博多湾、瀬戸内海へと進出し、富と力を蓄えたのではなかろうか。平安時代の社会の変化にうまく対応して富をなした名主層の新興勢力であったのではないかと思う。そして瀬戸内海を船で往来するうちに、伊予の大三島の御島様を蒲池にも分霊してもらったのであろう。その後、源平争乱では源氏方に付き、鎌倉幕府から蒲池の地頭職を受けることができたので、伊豆から勧請したことにしたのであろう。西牟田氏も同様に自領の三島神社は伊豆から分霊したことにしたのではないかと思う。

蒲池氏は戦国時代に、大友氏の支配を受け、勢力分散のために柳川城を本拠とした主家（下蒲池家）と上妻郡の山下城（八女市立花）の分家（上蒲池家）とに分けられた。下蒲池家は戦国末期の天正九年に佐賀の龍造寺氏に滅ぼされたが、上蒲池家は戦国時代を生き残り、三池で立花直次に仕えたり、江戸時代は子孫が黒田家と細川家に仕えた。

瀬戸内海の大三島（愛媛県今治市）の「大三島宮」あるいは「三島大明神」を、「大山祇神社」と定めたのは戦後のことである。平氏も、源氏も、ここを祈願所としたので、武門の神として武将たちに信仰されて来ており、現在でも海上自衛隊や海上保安庁関係のお参りが多いらしい。戦前には国幣大社で、伊予の一之宮という高い社格が与えられていた。

（2）広門神社

吉武氏が多い久留米市城島町下青木荒巻には広門神社がある。近隣の三潴郡大木町横溝字宮ノ前、大川市中(なか)木室(きむろ)字初田(はつた)にも広門神社がある。三社は相互に近い所にあり、二km程度の間隔の三角形を構成する位置関係にある。このうち大木町横溝の広門神社が一番古いと思われる。広い敷地と楼門（矢大臣がある）まである立派な神社である。城島や大川の広門神社は、大木町の広門神社から分霊したものであろうと思う。

本来、広門神社は、海の神である住吉大神を祀る所であったはずであるが、大木町横溝の広門神社では、住吉大神と息長足姫命(おきながたらしひめのみこと)を祀り、城島町下青木の広門神社は住吉大神と菅原大神を祀る。

大木町横溝字宮ノ前の広門神社は、大木町内でも一番古いとされる神社である。元慶二年（八七八）に郡司の境伊賀という人が摂津国の住吉神社から勧請したと伝わる（『福岡県神社誌』下巻及び『福岡県三潴郡誌』〔前掲書〕）。九世紀後半には、筑後の人々も摂津国（兵庫・大阪）まで物資を運んでいたのである。

おそらく横溝あたりに人が住み始めたころは、船が生活に欠かせない沼沢地であったのだろう。入植者たちは、船に食料や種籾、生活用具、開拓の農具、家畜などを積んで来たと思われる。仮に筑前から来たとすれば、御笠川・宝満川・筑後川経由で来たのではなかろうか。

大川市中木室の広門神社は、鳥居も賽銭箱もなく、一見しただけでは、神社かどうかも分からない小社である。初田集落だけの神社であったようで、釈迦堂があり、今は小さな公園になっている。地元の人に聞かないと広門神社とは分からない。『福岡県神社誌』には取り上げられていない。したがって祭神が定かでない。地元で尋ねてみたが、広門神社という名前しか分からない。

『大川市誌』（一九七七年）では、ここの祭神を、筑紫上野介(こうずけのすけ)広門としている。しかし、これには疑問を感じる。大木町横溝の広門神社から地図上の直線距離で二kmしか離れていない。城島町下青木の広門神社からも三㎞ほどしか離れていない。もともと同じ三潴郡内で、これほど近くにあって、同じ広門神社と称しながら、祭神が異なるというのは考えにくい。筑紫広門ではなく、住吉の神ではなかろうか。「広門」とは、大海原への出入口を意味するという『城島町誌』（一九九八年）の解説の方が納得できる。

城島町下青木の広門神社は、元は現在地より少し南の海岸にあったが、水害が多いために今の場所に遷座したという。今の場所には元は天満宮があったそうで、合祀に当たって天満宮の祭神である菅原道真も祀ったという。天満宮と広門神社があるという形は、大木町横溝も、城島町下青木も、大川市中木室も、同じパターンである。

（3）厳島神社・琴平神社

筑後川河口の大野島、道海島、浮島には厳島神社がある。浮島南本田の厳島神社は、天正十二年（一五八四）にこの地を開拓した菊地惣右衛門という人が安芸の厳島神社を勧請して氏神としたと伝えられている。また城島町西青木には琴平神社もある。いずれも瀬戸内海沿岸にある神社である。

三潴郡各地からは川を下って有明海に出たであろう。有明海は潮の干満の差がありすぎて海港が造りにくいのである。その代わりに筑後川の岸に川港が発達した。有明海の海運業は、平氏が元皇室領であった肥前の神埼荘を押さえていたので、その年貢米の輸送などで平安時代から盛んになったのであろう。

第五節　みやま市

瀬高町は、旧山門郡の町で、平成十九年（二〇〇七）一月に、山川町、高田町と合併して、みやま市となった。みやま市役所は瀬高町小川にある。

筑後平野の穀倉地帯である。瀬高には下庄（しものしょう）や上庄（かみのしょう）という地名があるが、その名からも想像できるとおり、大規模な荘園があった所である。瀬高下庄・上庄は、江戸時代には薩摩街道の宿場町として繁栄した。

瀬高には、吉竹という地名があるわけでもないし、吉武姓が多いわけではない。あえてここを取り上げたのは、瀬高町の平家伝説に着目しているからである。

筑後には各地に平家伝説がある。特に瀬高町の平家伝説は真実味がある。

なぜこのあたりの平家伝説に関心を持っているかといえば、やはり、筑前の吉武氏が平氏方に動員されて従軍し、葦屋浦や壇ノ浦での戦いで敗れた後、筑前には戻れずに筑後にも逃れたのではないかと推測するからである。

関門海峡周辺で平氏が敗北した後、平氏方の将兵の一部は、草野氏を頼って筑後に逃れたが、草野氏は庇護を断ったという。草野氏を頼ったのではなく、大宰府に向かったという話もある。その後、久留米を経て、筑後・瀬高の清水寺を頼って南下したという。清水寺には僧兵がいたので、そこを頼ったのであろうか。しかし、やがて源氏方の追手が来て、筑後市尾島あたりから矢部川、さらには清水山の麓と次第に南に押されながら、一連の戦いがあり、ついには山川町甲田（こうだ）あたりで平氏方はちりぢりになったという話である。

ゆかりの地名や逸話も多く残っている。筑後市尾島には「一之塚源平古戦場跡」の塚と碑がある。山川町甲田の要川（かなめがわ）公園（飯江（はえ）川と待居川の合流点）には「平氏最後の合戦の地」の碑が置かれている。山川町立山には、戦死者のために地元の農民が建てたという「平家の塔」といわれる墓石もある。平氏の女房七人が待居川沿いに山に入り、滝に入水したという。そこは「七霊（しちろう）の滝」と名付けられ、社が建てられている。

山川町から山伝いに肥後へ逃げた人たちもいたであろうし、筑後の柳川方面に逃げた人々もいたであろう。

柳川市沖端の六騎神社

柳川市矢留（沖端）には「六騎」の伝説がある。六人の平氏の落人が来て住み着き、海賊から村を守ったという。彼らを祀る六騎神社がある。北原白秋も沖端の人で平氏の子孫といわれている。

第六節　大牟田市

大牟田市では吉野地区に吉武氏が約七十人と多い。吉野地区の吉武氏の割合は一・四六％で高い。昔から吉武氏が多かった地域なのであろう。吉野地区は、大牟田市の北部にあり、丘陵部が住宅地となっていて、低地に水田が多い。江戸時代は柳川藩領で立花氏が治めていたが、戦国時代には三池氏がいた。

三池氏の本拠は大間城（大牟田市大字三池字古城、大間神社がある所）であったようだが、現地の大牟田市教育委員会の説明板によれば、「三池氏は、鎌倉時代後期に三池南郷の地頭となった中原姓の安芸木工助定時（師時ともいう）を祖とする東国系の武士で、室町・戦国時代にかけて三池郡北部一帯を支配した」という。

大間城は平時の政庁であったようで、戦時には今山嶽城（三池山山頂付近）に拠ったらしいが、現在の吉野地区にも支城として内山城が置かれていた。吉野丘陵の最北端で、JR鹿児島本線吉野駅の北東、隈川を見下ろす高さ一〇ｍほどの丘の上に城があった。

内山城では寛正年間（一四六〇～六六）や天正年間（一五七三～九二）に戦いがあったことが矢野一貞の

『筑後将士軍談』に書かれている。昭和五十七年（一九八二）には大牟田市教育委員会の発掘調査が行われ、空堀や土塁などが発見され、遺物には戦火に遭ったと思われる痕跡があったという（『内山城跡1　福岡県大牟田市大字吉野所在城跡の調査』一九八三年）。

吉野という地区名は、明治九年（一八七六）に原内山村と元村が合併して吉野村になり、後に大字吉野となったものである。したがって、合併時に旧村名の文字を取って新たに作った村名ではない。このあたりに元から吉野という地名があったのかもしれない。

吉野という地名は割合多いが、その由来について地名辞典などでは、美しい野という美称であるとか、土地の吉祥を願ってとか、アシの野原だったからとかいった説明がなされている。

地形図を見ると、大牟田の吉野地区は昔は湿地で葦原であった可能性が高いと思う。吉野と有明海の間は、倉永から甘木にかけて丘陵地になっており、最高点は甘木山（九一m）である。隈川の氾濫原であるのに、この丘陵が排水の妨げとなって隈川流域が湿地になっていたのではないか。

大正十五年（一九二六）初刊の『三池郡誌』（三池郡教育会編）には面白い話が載っている。銀水村の「社寺史跡」の章に、「大字吉野元村」について「水田地盤ユラユラとして飛べば一帯震ふを見る。地下腐植の繊維の土となれる様である」という記述がある。まさに吉野地区の低地はヨシに覆われていた地域で、ヨシを刈り倒して敷き詰めた上に、丘陵部から土を運んで水田を造成したことを裏付ける記述であろう。

こうした吉野の低地の水田化に従事した人たちの中に、湿地開発の経験のある三潴郡の吉武氏が加わっていた可能性が高いように思う。また、田地が不足していた島原あたりからの入植もあった可能性がある。

第三章　福岡県・豊前

福岡県の豊前地区とは、門司・小倉から、田川地区、京築（けいちく）地区（行橋市、京都（みやこ）郡、豊前市、築上郡）までを指す。明治時代に山国川が福岡県と大分県の境と定められ、川から東は大分県に入った。中津藩は川の両岸をカバーしていたから、県は分かれても福岡県側の上毛町と吉富町、大分県中津市は文化的には今でも一体感のある地域である。

豊前地区は、関門海峡と周防灘に面して、古くからの良港が多く、歴史のある町があり、それらの町に吉武姓がかなり多く見られる。また、吉竹姓も多く、北九州市約二六〇人（そのうち小倉南区約九十人、若松区約七十人、八幡西区約五十人）、京都郡みやこ町約八十人、行橋市約八十人、田川市約三十人である。

地名としては、豊前には吉武や吉竹は見当たらない。

第一節　古代の豊前

1 北部九州の都

豊前と豊後が分かれる前は、豊国（とよのくに）といった。古代から開けた豊かな地域であったのだろう。卑弥呼の後継者、宗女「台与（とよ）」の名前とも関係があるのかもしれないと思う。なぜ「豊かな国」なのか。『豊後国風土記』

には逸話が記されており、仲津郡中臣村で芋草（サトイモのことか）がよく繁ったので、景行天皇が「豊国」と名付けたという。

豊前には「みやこ町」があるが、ここで「みやこ」という地名についてふれておきたい。ただし「みやこ町」に限った話ではなく、苅田町と行橋市も含む、昔の京都郡ぐらいの地域を想定した話である。「みやこ」はやはり王のいる所という意味であろう。

『日本書紀』には、景行天皇が熊襲討伐のために九州に来たとき、豊前国の長峡県に行宮を置いて住んだので、その地を京といったとあるが、遠征時の仮宮を「みやこ」といったというのはいかがなものか。もし、そういう慣例があったのであれば、日本の各地に「みやこ」という地名があるはずであろう。「みやこ」は、やはり北部九州の国の「みやこ」であったのではないか。

邪馬台国豊前説は、何人もの研究者が唱えて来た。宇佐説から始まり、重松明久氏の「山の国」と「豊の国」の連合国説、中野幡能氏のより広範な北部九州の連合政権としての豊前説が出された。

ヤマトという地名は九州に多く、私が知る限りでも、豊前、筑前、筑後、肥前、肥後にある。しかし奈良には元々はなかったのではないか。大和をヤマトと読ませ、奈良のことだとしたのは、いつからなのか。奈良時代の『万葉集』、『古事記』、『日本書紀』では、ヤマトは「夜麻登」、「野麻登」などいろいろな表記が用いられている。「大和」という漢字表記は、案外新しい。平安時代以降に「大和」が定着したともいわれている。「大和」は、「十七条の憲法」における「和を以て貴しとなす」を意識して作られた国の名前であろう。「十七条の憲法」は聖徳太子が作ったとされてきたが、近年は『日本書紀』編纂の七二〇年ごろに成立したという説も出てきている。

畿内にも早くから強力な政権があったことは間違いないが、三世紀のある時期まで、中国と交流していたヤマトは北部九州の国であったと思う。『隋書倭国伝』には阿蘇山の噴火の様子を描いた記述がある。『魏志倭人伝』では、邪馬台国の南には「狗古智卑狗（くこちひく）」（菊池彦の聞き間違いか）が治める狗奴国（くなこく）があるという。肥後の菊池を想起する。そして、『魏志倭人伝』には「女王國東渡海千餘里復有國皆倭種」（女王国の東、海を渡ること千余里にして、また国あり、皆、倭種なり）という文章がある。女王国は海に面していた。海を渡ってかなりの距離行くとまた倭人の国があったというのである。奈良盆地の東に海はない。北部九州で東に海があるのは豊前国しかない。瀬戸内海を渡って行くとまた倭人の国がある。

『魏志倭人伝』には、女王国が伊都に「一大率（いちだいそつ）」を置いていたと記す。大陸との交流を管理する機関として、兼ねて外敵侵入に備える前線基地として、今の糸島に役所と軍を置いていたのであろう。したがって、邪馬台国は筑紫と豊の国にまたがる連合国で、「みやこ」は奥まって安全な豊前に置いていたのではないかと思う。

その後、大乱の時代を経て、西日本の有力な国々が談合して畿内に連合政権を立て、既に国際的な名となっていた「ヤマト」を国の名前として継承したのではなかろうか。

2 草野津

古代九州の代表的な港の一つが豊前の「草野津（かやのつ）」であった。今の行橋市にあった港である。

平成二十年度（二〇〇八）から二十五年度にかけて、東九州自動車道と国道二〇一号線とのインターチェンジ整備工事に伴って、両路が交差するあたりの延永（のぶなが）地区の埋蔵文化財の発掘調査が行われた。その結果、弥生時代から奈良時代にかけての多くの建物跡や遺物が発見され、「津」の文字が書かれた九世紀頃の墨書（ぼくしょ）土器も発見された。「延永ヤヨミ園（その）遺跡」と呼ばれている。従来、草野津は長峡（ながお）川流域の行橋市草野（くさの）あたりであろうといわれていたが、この発掘調査に基づくその後の研究によって、奈良時代にはもう少し上流の延永小学校あたりであった可能性も出て来たようである。

時が移るにつれて海岸線が東へ動き、草野津も東へ移動して、平安時代には「草野」あたりにあったのかもしれない。

3 豊前国府

豊前の国府は、みやこ町の豊津地区の国作にあった。昭和五十九年（一九八四）からの発掘調査の結果、建物跡、大宰府系瓦・硯・陶磁器など、奈良・平安時代の遺物が数多く出土した。現在は国府跡は埋め戻して芝生で保護され「豊前国府跡公園」となって保存されている。

豊前国府跡公園

豊前国府跡に復元された築地塀

古代には、草野津に上陸して、京都郡を西へ進み、香春―田川―飯塚を経由して米ノ山峠越えで大宰府に通じる「田河道」といわれるルートがあった。大宰府と瀬戸内海の港とを最短距離でつなぐ、ほぼ直線のコースであり、飯塚―行橋間は、現在の国道二〇一号線とほぼ重なる。途中に四つの大きな峠があるが、現在は、自動車用トンネルができて、楽に抜けられるようになった。

みやこ町には「続命院（ぞくみょういん）」という地名があるが、これは平安時代に大宰府が設置した官営の療養施設の名残といわれている。旅の途中で倒れた人々を救うための施設であった。筑紫野市にも「俗明院」という地名があるが、これも「続命院」から変化した地名であろうといわれている。このような施設がみやこ町にあったことからも、田河道が、近畿と大宰府を結ぶ重要なルートであったことが分かる。海の民が住み着いてもおかしくない地域である。実際、京都郡みやこ町や田川郡香春町、田川市に吉武姓がかなりある。

第二節　北九州市

江戸時代、門司の大里（だいり）の港には、久留米藩の船屋敷が置かれていた。久留米藩が自藩の船をここに置き、参勤交代のときにはここで乗船したのである。久留米藩士が大里（古くは内裏）に住んで管理していた。門司区柳町四丁目の戸上（とのうえ）神社（戸ノ上神社とも書く）には、久留米藩主・有馬家寄進の鳥居がある。また久留米藩士の墓が大里の西生寺（さいしょうじ）にある。しかし門司区の吉武氏は分散しており、大里東や大里原町に吉武氏が数人いるが、集中して見られる地区があるわけではない。

小倉でも吉武氏は分散して住んでおり、吉武氏が集中した小地域などは特にないが、下到津（しもいとうづ）は約二十人、〇・六三三％と比較的多い。

第三節　行橋市・苅田町・築上町

行橋市、苅田町も、市町村としては吉武姓の割合がかなり高い町である。築上町にも、ある程度、吉武氏がいる。割合の多い順に行くと、行橋市〇・二一九％（約二百人）、苅田町〇・一七八％（約六十人）、築上町〇・一一六％（約三十人）となっている。

中でも行橋市長木（おさぎ）は三・二四％（約三十人）と高い割合である。ここは、行橋市の西の端でみやこ町と隣接し、国道二〇一号線沿いの町である。

行橋市は周防灘に面しており、長峡川や今川、祓（はらい）川など内陸まで通じる河川が多く、川と海との作用で土砂の堆積が進み、潟や砂州ができやすい土地であろう。

築上町の吉武姓は築城（ついき）地区に集中しており、ここは一・二％（約三十人）である。城井（きい）川の下流域にあり、平地であるが、潟湖が多いので、海辺の沼沢地を干拓・開墾した地域であると思われる。

豊前の平野は時代とともに干拓が広がり、周防灘へ進出している。三潴郡や宗像郡と共通する土地柄であり、干拓・埋め立ての技術を持った人たちが移住しやすい土地であるし、海の民の活躍する土地でもあったであろう。

平安時代末期、築上町は板井氏の勢力下にあった。板井氏が本拠としたのは城井浦（きいうら）で、みやこ町の現・木井（きい）馬場（ばば）のあたりである。板井氏の領地を受け継いだ宇都宮氏は、その後、南北朝期の宇都宮頼房（よりふさ）の時代に、本拠地を城井浦から築上町本庄に移した。本庄は城井川流域で木井馬場から近い。

第四節　馬ヶ岳城の吉武大吉郎

行橋市とみやこ町の境に馬ケ岳という山（二一六ｍ）がある。室町時代から戦国時代後期まで、豊前の戦略的要衝として知られた馬ケ岳城があった山である。大内氏、毛利氏、大友氏など、豊前の支配を狙う武将たちがこの城を取り合った。天正十四年（一五八六）に豊臣秀吉が九州平定に乗り出すと、馬ヶ岳城の長野左衛門尉助盛は秀吉に降伏した。秀吉の九州平定後、黒田官兵衛が馬ヶ岳城主となった。黒田氏は後に筑前の藩主となるが、馬ヶ岳が九州での最初の居城であった。

馬ヶ岳には、行橋市の大谷から登るのがよいようである。昔はみやこ町側、平成筑豊鉄道の豊津駅か、新豊津駅から歩いても登れたが、地元の人の話では、今は登山道が荒れているらしい。

この馬ヶ岳城に吉武大吉郎という武士がいたという話が伝承されている。

神戸に専念寺という寺がある。浄土真宗本願寺派・大塚山専念寺という。神戸市東灘区住吉宮町にある。ここを創建した人が吉武眞了（大吉郎）という僧であったという。万治元年（一六五八）の創建と伝えられている。

吉武眞了は豊前の出身で、出家する前には長野左衛門尉の家老であったという。京都の本願寺から帰国の途中で神戸に留まり、寺を開いたと伝えられる。貞享三年（一六八六）に亡くなったという。

眞了は長野氏の家老だったというのは事実なのだろうか。長野氏の時代より少し後の人ではないかと思う。長野助盛は慶長十六年（一六一一）に死亡したと伝わる。一六一一年に吉武大吉郎が家老であったとすれば、若くても二十五歳以上であろう。一六一一年に二十五歳以上であったと仮定すると、寺を開いた一六五八年には七十二歳以上、亡くなった一六八六年には百歳以上ということになる。無理があるように思う。寺を開いた時期についても、主君が亡くなって家老をやめてから、四十七年も経過してから寺を開いたというのは時間が長すぎるように感じる。

馬ヶ岳城の家老であったのは、大吉郎の父親ではないかという疑念がある。

大吉郎が長野氏の家臣であったかどうかは別として、戦国時代後期には、みやこ・行橋あたりに既に吉武と名乗る武士がいたと考えてよいであろう。

第五節　みやこ町

みやこ町は豊前で最も吉武姓が多い町である。約一三〇人で割合は〇・四六%と高い。その中でも、犀川崎山に最も多く約五十八人、勝山箕田で約三十人、勝山松田で約二十人である。犀川地区の崎山の吉武氏の割合は八・三%で、かなり高い。勝山地区の箕田三・四%、松田二・二%である。

平成十八年（二〇〇六）三月、京都郡の豊津町、勝山町、犀川町が合併して「みやこ町」となった。そのため、現在の住所表記では、「みやこ町犀川崎山」、「みやこ町勝山箕田」、「みやこ町勝山松田」となって旧町名が残っている。

1 板井種遠

みやこ町は平安時代末期に大蔵春実の子孫である板井種遠が勢力を持っていた地域である。筑前西部を支配していた原田種直と同族であり、種直の姪を妻としていた。大宰府の府官でありながら豊前国府の田所や税所という役職も兼ねていた。城井浦（城井谷とも）の神楽城を拠点としていたので、城井兵衛尉種遠とも称していた。「城井」とは、現在のみやこ町犀川木井馬場あたりのことのようである。そこを拠点として、みやこ町犀川地域から、大任町、行橋市、築城町の各地に荘園を持っていたらしい。当然、原田氏とともに平氏を支えた勢力であった。壇ノ浦合戦で平氏が敗れた後は、原田氏同様に所領を鎌倉幕府に取り上げられた。その後、関東から宇都宮氏が来て、その所領を受け継いだ。

原田氏（筑前）と板井氏（豊前）の勢力範囲に吉武という地名があり、吉武姓が多いのは、単なる偶然のようには思えない。原田氏と板井氏の親密な交流があったことで、海民の相互の交流もあり、吉武という名字が両地域で普及した可能性が高いと思うが、平氏没落後は、筑前で土地を失った吉武氏が知り合いのいる豊前を頼って入植したというようなこともあったのかもしれない。

ただし、みやこ町の犀川崎山と勝山箕田、勝山松田は、いずれも海から遠い山裾の地域である。川が小さく、かえって水を利用しやすい面もあり、早くから開けた水田地帯であるようにも思える。福岡市西区吉武地区の場合と同様に、初期には水田を作りやすい山裾に生活していたが、人口が増加すると谷あいでは土地も水も不足し、次第に川を下って海に近い地域の干拓・開拓に進出したのかもしれない。

2 勝山の箕田・松田

箕田と松田は、障子ケ岳（四二七ｍ）の山麓の地域である。長峡川の上流地域で、川を下れば海に通じているが、海まで一〇㎞ぐらいはありそうである。

国道二〇一号線沿いの地域である。みやこ町役場は二〇一号線沿いの勝山上田にあり、そこから二〇一号線を西へ行くと次が箕田地区、そのさらに先が松田地区である。

箕田地区は長峡川を挟む両側の地域で、まだ平地があるが、山に向かって次第に高くなり、田畑や家々に段差がある。箕田地区では長峡川の沿岸に圃場(ほじょう)整備の竣工記念碑があり、整備に協力した地権者の名前が書かれているが、そこにも吉武姓が何人も見られた。

松田地区は、箕田の西隣で、ここはもう山裾をかなり登った地域で、標高も高い。二〇一号線の松田交差点付近で海抜三三mという。松田から新仲哀(しんちゅうあい)トンネルに入る。それを抜けると香春町である。

3 犀川崎山

犀川崎山は、みやこ町では南端になる。

崎山地区は、この地域の主要河川の一つである今川に沿った地域で、かなり上流であり、海から一五km以上離れている。英彦山(ひこさん)(一二〇〇m)から北へ延びた丘陵地の山裾にあり、峠を越えれば西隣は田川郡赤(あか)村になる。県道三四号線(行橋添田線)がメインの道路である。

そういう山に近い地域ではあるが、平地からいきなり山が立ち上がっているような地形で、案外平地が広く、段々畑などは見当たらない。このあたりの川幅は広い。川の両側の平地には水田が広がっている。川の岸や中洲にはヨシとタケがたくさん茂っている。吉竹という地名はないが、ヨシとタケの地である。同じ地区でも、さらに上流部になると川の両岸の平地が次第に狭くなって山に入って行く。

崎山地区には平成筑豊鉄道田川線(行橋駅—田川伊田駅)が通っており、崎山駅がある。昭和三十一年(一九五六)に国鉄の駅として設置された。この国鉄田川線を敷設するとき、勝山よりも犀川の方が傾斜が少なくて鉄道が敷きやすかったのであろう。崎山駅から行橋駅まで一二・五kmである。

この地域ではいろいろな所で吉武という名字を目にすることができる。崎山駅前の集落にも「吉武」の表札

崎山駅から馬ヶ岳を見る

を掲げた家があった。崎山八幡神社境内にある参道整備の際の寄付者リストにも「吉武」の名を何人も見つけることができた。

みやこ町の「吉武」の表記は他の地域とは異なる。みやこ町では、吉武の「吉」の漢字の上の部分を「士（し）」ではなく「土（ど）」と書くのが一般的のようである。石碑も表札も「土」になっている。例外的に崎山八幡神社の名簿では「士」の字体も使われていた。やはり書き手しだいでは変化することもあるのだろう。勝山箕田で見た石碑でも「土」となっていたので、みやこ町全体で吉武の表記は「土」が多い。『新明解現代漢和辞典』（前掲書）では、「士」が常用字体で、「土」は俗字となっている。

崎山地区の主な神社は八幡神社であると思われるが、宮地嶽神社もある。筑前の宮地嶽神社から近い東福間あたりにも吉武氏がいるので、そことの関連が気になっている。

崎山地区の東には、平安時代末期に板井種遠が本拠とした城井浦（木井馬場）がある。地図上の直線距離では約五kmぐらいであるが、谷筋が異なるので山を迂回しなければならず、実際の距離は倍ぐらいになるかもしれない。

第六節　香春町・田川市

田川郡香春町と田川市は吉武氏の割合が高い所である。

「姓氏語源辞典」では、福岡県田川市には約九十人の吉武氏がおり、香春町には約六十人がいる。香春町は吉武氏の割合が〇・三五六％で、筑後市（〇・三四五％）より高い。田川市も〇・一五二％で佐賀市（〇・一四九％）や久留米市（〇・一四七％）より割合が高い。田川郡では他に、大任町が〇・一二九％、赤村が〇・一〇二％で、比較的高い割合である。小地域で見ると、香春町は中津原で〇・七一八％（約四十人）と割合が高い。

香春町や田川市といえば、豊前と大宰府をつなぐ古代官道の「豊前路」の町である。『続日本紀』にある「田河道」のルートと見なされている（木本雅康「西海道の古代官道」、『海路十二号　九州の古代官道』海鳥社、二〇一五年）。

香春は、小倉から秋月に出る秋月街道と、行橋から田川、飯塚、大宰府に至る田河道が交わる所であり、交通の要衝である。しかし田川郡香春町と京都郡みやこ町との間には障子ヶ岳と大坂山（五七三ｍ）が壁のようにそびえ立っている。この峠道を越えることは昔は大変だったと思われるが、現在は新仲哀トンネルがあり、車で簡単に峠を抜けることができる。

田川から二〇一号線を行橋に向かって行くと、障子ヶ岳が目の前に迫って来たところ、左手（北側）に鏡山大神社がある。神功皇后と夫の仲哀天皇を祀っている。この神社がある鏡山において、神功皇后が新羅征伐のときに祈禱を行い、鏡を納めたと伝えられている（『豊前国風土記』逸文）。

鏡山大神社は鏡山の山頂にあり、鳥居からかなり急で高い階段を登らないといけない。山の裏には自動車で山頂に登る道がある。

この神社の前には古代官道の田河道が現在も舗装されて生きている。

また、鏡山大神社の西隣には小さい古墳があり、「勾金陵墓（まがりかねりょうぼ）参考地」という。明治二十七年（一八九四）に

鏡山大神社。前に田河道が走る

宮内省が皇族の陵墓参考地、「河内王陵」として指定した所である。しかし、この陵墓は、六世紀後半の古墳であるとの推定もあるそうで、それが正しければ、百年ぐらい時代がずれている。北東約五〇〇ｍぐらいの所に別の墳丘があり、こちらが河内王の墓だとする説もあるそうである。

河内王という人が大宰府に赴任するとき、このあたりで手持女王と逢い、妻としたという。そのわずか数年後に河内王は病没、本人の希望でこの地に葬られたという。神社の前には歌碑がある。『万葉集』にあるもので、河内王を偲んで女王が作られた挽歌である。

香春岳では銅を産し、採銅所という地名がある。ここで産した銅が東大寺の大仏建立にも使われたという歴史がある。このように古代から重要な地であった香春にも、そして山を越えたみやこ町の勝山松田や箕田にも吉武氏が多い。海運業者の吉武氏が銅を運ぶために香春に来たことも考えられる。

田川は石炭の産出地として江戸時代から知られた所であった。明治以後は石炭の町として発展した。そのころになって石炭業に就職するために北部九州各地から来た吉武氏も多かっただろう。

第四章　大分県

大分県は福岡県、山口県に次いで吉武姓が多い。中でも国東半島東部に吉武氏が集中している。その他、大分市、別府市、宇佐市、玖珠町（くすまち）、中津市、九重町（ここのえまち）、豊後高田市に多い。

大分県の吉武氏の由来に関する伝承としては、関東武士とするものが多いようである。これは吉武姓に限らず、大分県民の名字の由来に関してよくいわれていることである。豊後が鎌倉幕府の直轄領のような「知行国」となり、地頭などとして多数の関東武士が豊後に入ったことによるのであろう。

事実、現在の大分県に多い名字は、関東以北の県とパターンが似ている。大分県で多い名字は、「名字由来ネット」によれば、①佐藤、②後藤、③河野、④小野、⑤渡辺、⑥安部、⑦工藤、⑧高橋、⑨阿部、⑩甲斐となっているが、佐藤、後藤、工藤、高橋、阿部などは関東以北に多い名字である。また、高橋、渡辺、河野は愛媛県に多く、安部は福岡県と東北に多い。福岡県、佐賀県、熊本県では田中、中村がトップクラスに来るが、大分県ではトップテンには出ていない（田中十二位、中村二十七位）。確かに、大分県民には関東武士の子孫らしい名字が多いし、また愛媛との交流が多かった歴史を反映している。

大分県では、佐藤など藤が付く名字が多いことからも分かるが、古代の名族・藤原氏の子孫と称する家が多い。吉武姓の人たちからも、我が家は藤原氏の末裔であるとの話を聞いた。白村江の戦いの後、豊後に城を築くために畿内から九州に来た藤原氏であるとか、源平争乱のとき平氏に動員されて九州に来て、平氏滅亡後、豊後に流れて住み着いたという吉武家の人たちの話があった。また、藤原という名字の方からは、先祖は藤原純友の一族で、純友の乱のとき、伊予から豊後に来たという話を聞いた。

また、関東武士の藤原秀郷(ひでさと)の子孫とする話もよく聞く。豊後では守護大名・戦国大名の大友家が、真実は分からないが、秀郷流であると信じられたから、それを手本とする武家が多かったのかもしれない。なお、秀郷の出自については不明なことが多く、藤原氏の子孫であったと決定する証拠はない。

藤原系であるという吉武姓の家の場合、畿内からにせよ、関東からにせよ、なぜ藤原から吉武にしたのかという点が不明である。名字は住んだ地名に基づくという原則から、調べてみたが、畿内にも関東にも、吉武または吉竹という地名はないし、昔はあったという記録もない。地名が消えたり、変わったりすることは否定できないが、釈然としない。

ただし、畿内にも吉武姓はある。また少ないが、関東にも吉武という名字はある。武蔵国に歴史上、吉武氏がいたと記す資料はある〈太田亮『姓氏家系大辞典』第三巻下〈角川学芸出版、二〇一二年〉や志村有弘編『姓氏4000歴史伝説事典』〈前掲書〉〉。現在では関東にも吉武氏は多いが、多くは明治以降の移住であると思われる。

私は、吉武姓は、大分県の場合も、大部分は福岡県から伝播したものではないかと考える。東国や近畿などから来た吉武氏もいたかもしれないが、吉武氏の大部分は、ずっと九州で暮らしてきた人々であると思う。

第一節　豊前

1 宇佐市今成

旧豊前は大部分が福岡県に入っているが、中津市、宇佐市は大分県になった。宇佐市では約九十人の吉武氏がいて、割合は〇・一〇七％である。かなり高い割合である。中でも今成地区は驚くことに、六五％（約六十人）となっており、全国の小地域の中でトップである（『姓氏語源辞典』）。中津市は約七十人いて、割合は約〇・〇七一五％である。

宇佐平野は、駅館川（宇佐川ともいう）や伊呂波川などの河川によってつくられた沖積平野である。駅館川は、河岸に古代の駅家があったのでその名が付いたのではないかといわれている。宇佐市役所の近くの上田という地域に「駅館」の地名が残っているようである。

宇佐市今成地区

宇佐平野には、弥生時代、古墳時代の遺跡も多く、早くから田畑の開発が行われた地域と考えられている。しかし、宇佐平野は扇状地であったから、水不足が常に問題であった。今成地区では、元禄十五年（一七〇二）に隣の末村との間で大きな水争いがあり、江戸評定所での対決となったという（『日本歴史地名大系45　大分県の地名』平凡社、一九九五年）。

今成地区は、平安時代には宇佐神宮の荘園であったのであろう。宇佐には、古くから灌漑用の溜め池が多く作られている。さらに、平安時代に川をせき止めて造ったという「平田井路」がある。川の規模にもよるが、川をせき止めるというのは危険を伴う高度な土木技術である。コンクリートで固める技術がない時代には、堰や水路は一旦造っても、洪水があるたびに破壊され、長く維持できない。後世に残るような堰は、土木技術が高度になり、藩による一元的な土地支配体制が確立し大規模な動員ができるようになった江戸時代になってようやく成功した例が多い。平安時代に、宇佐で、多くの溜め池や平田井路のような堰ができたのは、宇佐神宮が荘園領主であったからこそであろう。

宇佐市の海に近い河口部には、神子山（みこやま）新田、郡中（ぐんちゅう）新田など新田という地名が多いが、これらは江戸時代に干潟を干拓して造った新田地帯であるらしい。

今成は、市の東部、伊呂波川中流域の段丘上にある。伊呂波川流域とはいえ、集落は丘陵の緩やかな斜面にあり、家々は土地の高さが少しずつ違う。

文献に今成という地名が出てくるのは室町時代のことである。応永十六年（一四〇九）、大内氏が「今成名」のうちの田地などを宇佐神宮に所属する者に安堵したという文書があるという。「安堵した」というのは、田地などの支配を公認したということである。

この地域の歴史、特に吉武氏の来歴についての伝承は不明である。区長経験者など何軒かお尋ねしたが、分からなかった。令和二年（二〇二〇）七月にこの地を訪問したが、詳しい方が最近亡くなられたと聞いて大変残念であった。

今成地区は山の麓の緩やかな斜面であり、福岡市西区の吉武地区と環境が似ている。特に平田井路などの灌漑施設が平安時代から造られていたことを考慮すると、福岡市の吉武地区と同様に早くから水田が開かれた土地であった可能性を感じる。

今成地区には氏神として歳（とし）神社がある。歳神社は大分県には多く見られる。歳（年）神様を祀るが、おそらく筑前の地禄（ちろく）神社や埴安（はにやす）神社と同様に、村落に根付いた古い農業神と思われる。特に国東に多いが、中津あたりから豊後大野あたりまで分布している。

宇佐神宮は筑前の原田種直や豊前の板井種遠と同様に平氏を支えた勢力であった。筑前早良郡と豊前今成の人々の交流もあったかもしれない。

吉武という名字が伝播した契機としては、同じ平氏勢力の中の交流によって源平争乱の前から伝播していたとも考えられるし、また、源平争乱後、鎌倉方に土地を奪われて筑前の人たちがここにも来た可能性も考えられる。

2 宇佐神宮

宇佐神宮は、全国の八幡宮の総本社とされており、通称・宇佐八幡ともいわれる。この神社のホームページによると、祭神は八幡大神（応神天皇）、比売大神、神功皇后の三柱となっている。平安時代中期の『延喜式神名帳』では、宇佐宮は、「八幡大菩薩宇佐宮」、「比売神社」、「大帯姫廟神社」の三つの神社として記されているという。八幡大菩薩というのであるから、八幡神と菩薩という仏が一体化している。かつては境内に弥勒寺という神宮寺があったが、廃仏毀釈で壊され、今は礎石のみが残る。

宇佐神宮の起源は、よく分かっていない。その成立の歴史を知るための文献としては、奈良時代に書かれた『豊前国風土記』や、平安時代に書かれた『宇佐八幡宮弥勒寺建立縁起』（八四四年成立か）、鎌倉時代の『八幡宇佐宮御託宣集』がある。しかし、これらの内容は、どこまでが史実か分からないものらしい。

八幡神については、記紀にも記載がない。多くの学者が研究していろいろな説を出している。例えば、八幡の起源は、真言密教で用いる八流の旗（幡）にあるとする説がある。また、宇佐神宮の本来の主神は比売大神であるとして、太古のシャーマンの巫女を祀ったと見る説もある。そうではなく、比売大神は宗像三女神で、瀬戸内海の航海のために祀ったと見る説がある。あるいは、香春岳あたりで銅を産し、東大寺の大仏建立にも貢献したことから、八幡神は採銅業・鍛冶の神であるとする考え方がある。新羅から招かれた採銅技術者たちが持って来た新羅の神であるという。宗教学者の島田裕巳氏は、八幡神が『日本書紀』や『古事記』にまったく出てこないのは新羅の神であったからではないかという考えを示されている（『なぜ八幡神社が日本でいちばん多いのか』幻冬舎、二〇一四年）。

宇佐神宮は御許山の麓にあるが、この山の山頂には三つの巨石があり、ここに比売大神が降臨したと伝えられる。九合目に大元神社（宇佐神宮奥宮）があるので、宇佐神宮は元は御許山や山頂の巨石を拝んだ山麓の遙拝の場であっただろうという見方がある。奈良の大神神社は今でも拝殿のみで、大三輪山が御神体である。宗像大社の場合も古代の祭祀の場であったとされる磐座が沖津宮にある。宇佐神宮も、このような日本人の原初的な自然信仰の場であったのではないかともいわれている。

『大分県の歴史』（山川出版社、一九七一年）において渡辺澄夫氏は、中野幡能氏の宇佐神宮形成過程のまとめを紹介されている。それによると、この地域の諸国が、邪馬台国に統合されて行く過程で、各地の諸神の統合があったとする。その後、蘇我氏の時代に奈良から大神比義が宇佐に来て、畿内王朝の応神天皇が祭神とされ、さらに神社の統合によって比売大神や神功皇后が祭神に加えられたという。

飯塚市の大分八幡宮（旧穂波郡）、築上町の矢幡八幡宮（現・金富神社）、中津市の薦神社などが、宇佐神宮の元宮であると伝承されている。一見混乱しているように見えるが、実は、それら各地の神々が、国々の統合の過程で合祀され、宇佐神宮になったと考えれば理解しやすい。宇佐の八幡神は筑前・豊前の諸神を統合し、外国の神や仏教とも習合しながら続いている多元的な要素を持った神社であるように思われる。

応神天皇を祀ることによって、宇佐神宮は国家の神を祀る神社となり、朝廷との関係が深まった。宇佐神宮も東大寺建立では大きな貢献をした。朝廷から宇佐神宮に派遣された勅使のことを「宇佐使」（「うさのつかい」とも）というが、奈良・平安時代にはかなり頻繁で、八世紀後半から十四世紀初期に中止されるまでに二百回を超える派遣があったらしい。現在も勅使祭として続いている。

宇佐神宮と宗像大社と吉武氏との関係には共通する歴史を想像する。神社に納める物の輸送、また両神社と畿内の朝廷との往来において船の役割が大きかったのであろう。海の民との密接な関係があったと思う。

第二節　豊後

大分県の大部分は旧豊後国である。豊後地区で吉武氏が多いのは、まず国東市で、それに次いで大分市、別府市、玖珠郡である。

国東市には約五百人がいる。しかも国東市における吉武氏の割合は〇・九七七％と高い。大分市には約三百人がおり、〇・〇八二三％である。別府市には約百人がおり、〇・〇八％である。大分市と別府市は、いずれも大きな都市であり、明治以降の発展の過程で吉武氏も増えたのであろう。人口における吉武氏の割合は低い。割合から見ると、国東市に次いで吉武氏が多いのは、玖珠郡の九重町や玖珠町である。玖珠郡玖珠町には約九十人がおり、〇・三八一％である。玖珠郡九重町が約七十人で〇・四四二％である。

それから国東半島西側の根元にある豊後高田市が約四十人、〇・一〇五％である。豊後高田市には吉武という地区もある。

想像にすぎないが、平安時代末期の源平争乱の時代に、筑前で土地を奪われた吉武氏が、豊後の玖珠や国東などの未開発の山間地に、土地を求めて移住してきたのではなかろうか。

豊後の中でも、玖珠、杵築（きつき）、速見、国東は、山がちの土地で、自然条件が農業には厳しく、未開発の土地が多かった。大分県では、第二次大戦後の引揚者対策としての「緊急開拓事業」でも、また昭和三十六年（一九六一）からの経営規模拡大のための「開発パイロット事業」でも、これらの地域が重点開発地域であった。まして平安時代や鎌倉時代には未開発地が多かっただろう。源平争乱で敗者となった平氏方の九州出身の人たちは、国東や玖珠に入植した可能性が高いと思う。

1 国東半島の特徴

国東半島は、その地名「クニのサキ」のとおり、瀬戸内海に向かって突き出した半島である。九三〇年代に編纂された『和名類聚抄』（略称『和名抄』）といわれる辞書には、国崎郡国前郷とある。まさに岬のクニである。

この半島の中央部には両子山（七二〇ｍ）があり、円形に全方位に多くの尾根筋が下り、多くの谷筋に沿ってわずかな平地に田畑を作り、集落ができている。半島としては大きいが、平野は少なく、交通に難があり、歴史的には「陸の孤島」ともいわれてきた。しかし現在は、大分空港もできて、海岸を周回する国道二一三号線は快適で、杵築、別府、大分方面へも容易に出られるようになった。

ここは、江戸時代には主に杵築藩松平氏の領地であった。その前、中世には豊後守護大名・大友氏の分家・田原氏が統治していた。

国東には、浦々ごとに、伊美氏、竹田津氏、岐部氏、櫛来氏ら在地の武将がいて、海民を組織し、瀬戸内海や北九州の海で活動していた。彼らは「浦部衆」と呼ばれていた。松浦半島の松浦党とよく似ている。大友氏の水軍は、この国東の浦部衆と豊後南部の「海部衆」であったという。

国東半島は「六郷満山」と呼ばれる仏の里である。国東半島では古くから山岳信仰が行われていたが、奈良時代、最澄の八幡参詣を機に、宇佐神宮の肝いりで天台宗の寺が半島各地に建てられたものらしい。その後、神仏習合により、宇佐神宮弥勒寺と、英彦山の修験道とも連携して、両子寺、富貴寺、伝乗寺（真木大堂）、岩戸寺、天念寺、千燈寺など、多数の寺院における信仰・修行が行われていた。明治以降は神仏分離したが、仏教信仰の場として変わることなく地元の人々に大切に護持されてきた。

国東半島には山城跡が大変多い。代表的なのは国東市の雄渡牟礼（小門牟礼）城と豊後高田市の屋山城であるが、その他にも、例えば国東市域だけでも、竹田津城、伊美城、岐部城、亀城、富来城、櫛来城、吉広城、安岐城、飯塚城などが知られている。また小規模な砦（外城あるいは下城）もたくさんあったようである。小さい地域ごとに力を持った武将がいて、大友氏や田原氏とのある程度の緊張関係があったし、海に面していることによって、他の浦の海賊など外敵からも攻められやすかったという事情もあったかもしれない。

国東市の岩戸寺

2 豊後高田市

豊後高田市の吉武氏は、約四十人で、割合は〇・一〇五％である。割合では、大牟田市〇・一〇六％や宇佐市〇・一〇七％に近い。特に吉武氏が多いとはいえないが、ある程度分布している地域である。あまり集中も見られず、市内の新栄の算所という地区で約十人いる他は、各地にごく少数ずつ分布している。

豊後高田市は国東半島の西側の根元にある海辺の町である。町の中心、市役所や繁華街は、桂川の周辺にあり、湾に近い。しかし、市域は半島の内陸部まで広がっている。内陸に入ると、富貴寺大堂、真木大堂、熊野

豊後高田市長岩屋の吉武地区

磨崖仏など、天台宗、真言宗の寺や堂が多く、六郷満山文化を代表する地域である。宇佐八幡の荘園・田染荘があり、ここには平安時代の田園風景が残っているといわれている。

豊後高田市には吉武地区がある。この吉武地区がある所は、豊後高田市の長岩屋で、国東半島の中心部に近い地域である。高田の町から県道二九号線で両子山に向かい、都甲川沿いに戴星学園という市立小中学校の前を通り、県道五四八号線を両子山へ向かうと長岩屋があり、そこに「吉武」という小字がある。都甲谷を地蔵峠の方に向かって進むと、左手に吉武の集落がある。両子山の西山麓の地蔵峠に近く、田畑が途絶える耕作限界地といえよう。

吉武地区の先には天念寺がある。長岩屋川の谷間の狭い所にある。天台宗の寺で、養老二年（七一八）の開基という。寺の背後は奇形の岩山で、そこで修験者の行が行われる。この寺は鬼会で知られているが、現在は、岩戸寺と成仏寺と三寺で交代で行っているらしい。「鬼会の里歴史資料館」があり、そこには国指定重要文化財の阿弥陀如来立像（木彫）がある。五四八号線は両子山の裾を回って、岩戸寺に通じている。

この吉武地区は小字であり、地名辞典などにも掲載がなく、いつから存在したかなど、歴史的なことは分からない。ただ、都甲川沿岸部は、「都甲荘」という荘園になっていた。条里制の遺構もあるそうで、かなり古い時代からある程度田地化されていたようではあるが、都甲荘に「吉武」という地名があったかは分からない。私が調べた範囲では出てこなかった。

都甲谷は十一世紀（平安時代後期）に源経俊（つねとし）という人物が開いたという。名前からして源経基（つねもと）（藤原純友追捕使次官として九州に来た人）のゆかりの人かもしれないが、経俊という人物のことは何も分かっていない。いずれにせよ、平安時代後期に開墾された地域のようである。十一世紀に開かれたのが都甲谷のどこまでだったのかは分からないが、とにかく、吉武地区は都甲谷の一番奥地なので、吉武地区が開かれたのは、もっと後の十二世紀以降だったかもしれない。

鎌倉時代には都甲谷一帯は宇佐神宮の神宮寺・弥勒寺の荘園であった。地頭は、宇佐神宮の神官・大神氏系の武士で、都甲氏を名乗っていた。都甲氏は、元寇のとき惟親（これちか）・惟遠（これとお）親子が活躍した。また足利尊氏が九州に来たときも、筑後三原城攻めや豊後玖珠城攻めにおいて、都甲氏が尊氏方で参戦したという記録がある。しかし、守護・大友氏の支配が浸透して来ると、都甲荘は次第に大友氏に浸食され、都甲氏の勢力は衰えたようである。その後、永享年間（一四二九～四一）を境に、都甲氏に代わって、大友氏の近臣の吉弘氏が都甲谷の松行（まつゆき）を本拠とするようになった。

都甲川の岸辺には今もヨシが密生している。アシタケか、ヨシタケという地名が古くからあってもおかしくはない。ここが豊後高田市や国見町あたりの吉武氏の故郷であった可能性もあるが、「吉竹」ではなく「吉武」という地名になっていることからして、十二世紀以降に、どこか他の土地から入植した吉武氏が都甲谷の一番奥を開いた可能性もある。開墾した人が、自分の名前を付けたのであろう。

この吉武地区は十数軒の小地区であり、山がちの奥地で広い田畑はない。集落は山と川が迫った谷間にある。現在は道路がよくなり、自動車で容易に高田の町にも出られるが、昔は農業も生活も厳しかったのではないかと思う。

想像をたくましくすれば、平安時代末期の源平争乱のとき、故郷を追われた平家方の武士（特に筑前や豊前の武士）が、都甲谷の未開発の奥地に入植した可能性が考えられる。都甲荘の地頭・都甲氏を頼ってここに来たのかもしれない。豊後の武士たちは早くから平氏に反旗を翻した。都甲氏も源氏方に近かったであろう。しかし、平氏方といっても、動員された下級の兵士や人夫、水夫であれば、受け入れて働かせた可能性はあるだろう。宇佐神宮は平氏に近かったので、戦後、荘園の大部分を失ったが、豊後の武士たちは領地を安堵された。都甲氏も都甲荘の地頭職を失うことはなかったらしい。

なお、現在は長岩屋には吉武姓はないようである。

3 国東市

国東市は国東半島の東半分（昔の東国東郡）を占めている市である。平成十八年（二〇〇六）、東国東郡の国見町・国東町・武蔵町・安岐町が合併して国東市となった。半島の西半分には北に豊後高田市と南に杵築市がある。

国東市には吉武姓が多い。「姓氏語源辞典」によれば、人数では防府市よりは少ないが、宗像市と並んで約五百人いる。

（1）岩戸寺

国東市の中で吉武姓が多い小地域を見ると、次のとおりである（「姓氏語源辞典」）。

国東町　鶴川　約八十人（二・九五％）　岩戸寺　約七十人（二四・三％）
東堅来（ひがしかたく）　約五十人（七・〇五％）　来浦（くのうら）　約二十人（三・五五％）

横手　　約二十人（二・三四％）

国見町　野田　約五十人（六・四三％）　岐部　約三十人（二・九四％）

国東町が概して多く、割合も高い。鶴川と岩戸寺に多い。鶴川は、国東市役所など公的機関も集中しており、国東でもにぎやかな町であるから人口も多い。岩戸寺では四人に一人が吉武姓である。これは全国の小地域の比較でも三位となる割合の高さである。

「ネットの電話帳」では、

国東町岩戸寺　十四軒　国東町鶴川　十三軒　国東町東堅来　十一軒　国見町野田　九軒
国見町岐部　六軒　国東町来浦　五軒　国東町横手　四軒

（東堅久は二〇〇七年版、他は二〇一一年版）

となっており、ほぼ順位は一致している。

岬茫洋氏の『九州の苗字を歩く　大分・宮崎編』（前掲書）によれば、国東の苗字ランキングとして、国東町では一位―吉武（七十五軒）、二位―山本（七十二軒）、三位―佐藤（七十軒）と挙げられている。北隣の国見町でも、五位―吉武（二十八軒）となっている。この書籍は、国東市成立前のデータに基づくものらしく、国東町と国見町になっている。

岩戸寺といえば、九州芸術工科大学の学長だった吉武泰水氏（建築学）もここの出身であった。泰水氏の家は岩戸寺の庄屋格の旧家であったようで、父親は国会議事堂をデザインした建築意匠家として知られる吉武東里氏である。

岩戸寺地区は、元来、天台宗の岩戸寺の門前町で、静かな農村である。この寺は養老三年（七一九）創基という古い歴史を持つ。

国見の岐部には、明治・大正期に、地域の農林業の振興に尽力した人として、吉武幸四郎という篤農家がいたという。岐部の第二伍長（今の区長）となり、溜池の造成、用水路の延長によって稲作を盛んにし、また植林にも力を入れて林業を発展させたという。

（2）雄渡牟礼城

国東町成仏にある小門山には、中世の山城「雄渡牟礼城」の城跡がある。国東半島には、五十近い山城跡があるようだが、この城は半島の中央部、両子山に近い所にあり、国東半島の代表的な城跡で、国東市の指定史跡になっている。

小門山は、標高五三五ｍで、別名「国東富士」とも呼ばれており、成仏集落から見ると富士山のような美しい山であるが、岩戸寺から見ると、二こぶラクダの背中のように見える。資料によれば、山頂には建物があったらしい削平された場所があり、周囲にも城を守る竪堀の跡などがあるという。築城年代は定かではないが、この地の支配者・田原氏によって築かれ、南北朝時代から戦国時代にかけて存在したとされている。

田原氏は豊後守護の大友家から分かれた家系であったが、国東半島の支配をめぐって大友家とは緊張関係にあったようで、この城が争いの場となった歴史がある。

来浦のある吉武家では、小門山に「吉武城」があったと伝えられているという。藤原鎌足（中臣鎌足）の時代に築かれた古城だという。なぜ吉武城というのかについては、史料が紛失したそうで、残念ながら明らかでない。小門山の麓で育った知人は、小門山に吉武城があったという話は聞いたことがないという。

田原家の初代・泰広は、大友能直（よしなお）の子であるという。大友氏の祖先は、真実かどうかはともかく、藤原秀郷であると伝えられ、藤原氏の祖は中臣鎌足であるところから、このあたりに藤原鎌足が城を築いたという話になっている可能性も考えられる。しかし、藤原秀郷も本当に藤原氏であったのかどうか疑問も提起されており、まして吉武と藤原氏とのつながりなどはまったく手がかりがない。

田原氏が築く前に、古代の山城があった可能性はあるかもしれない。六六三年の白村江の戦いで日本が敗れた後に、唐や新羅が攻めて来ることに備えて、北部九州や瀬戸内海の各地に山城が造られたことは事実である。そして『日本書紀』に記録のない城も築かれていたことが近年分かってきているので、今後の専門家の研究に期待したい。

雄渡牟礼城があった小門山（岩戸寺より）

4 玖珠郡

（1）九重町

大分県玖珠郡では九重町の松木地区に吉武姓が多い（約六十人、三・五二％）。また、玖珠町の山田地区も比較的多い（約三十人、一・五七％）。両地区ともＪＲ久大本線豊後森駅から近いが、玖珠川を挟んで東に松木地区、西に山田地区がある。

玖珠は古代から交通の要であった。北九州から熊本へ行く南北の道と、博多や久留米から日田経由で大分や宇佐へ出る東西の道が交差する所である。

九重町の松木地区は広く、平家山（一〇二三m）、大祖山（八九八m）があり、松木川を挟んで宝山（八一六m）がある。日田と別府・大分を結ぶ主要なルートは玖珠川沿いの道であるが、この道から分かれて松木地区を経由して宇佐や別府へ出るルートがあり、昔からよく利用されていたという。

日出生台あたりの草原は馬を使った狩りの場所で、昔から豊後の武士たちの軍事演習の場所であったようである。明治以後は軍馬を飼育する牧場があったと聞いている。

松木には平家伝説がある。壇ノ浦で敗れた平氏の人たちが「安心院の浜」（宇佐市の海浜か）に上陸し、日出生台でさまよいながら、疲労困憊して平家山の麓にたどり着き、松木の野倉（松木ダムのあたり）に五十人ほどが留まったという。野倉地区は「平家の里」といわれている。ここからさらに肥後の五木や日向の椎葉に行った人たちもいたという。平家山も宝山も平家伝説にゆかりの名前だと思われる。

平家山について、『角川日本地名大辞典44　大分県』（一九八〇年）は、次のように解説している。

「玖珠郡玖珠町大字日出生と九重町大字野上にまたがる山。標高一〇二三m。壇ノ浦の合戦に敗れた平家の落人が立てこもった山という伝説があり、山麓には平家の子孫という家も多い。いまだ未踏の部分も多く、九州ではただ一つのユキワリソウの自生地であり、また香蘭は珍品とされる」

『日本山岳ルーツ大辞典』（池田末則監修、村石利夫編著、竹書房、一九九七年）は、「平家落人説もあるが、これは山の形とみられ、溶岩台地状で、平らな屋根型の山の意からきたものとみられる」という。しかし、平らな屋根型の山の意味なら「へいけざん」とは読まないのではなかろうか。「ひらややま」とかになるのではないか。

実相を知るには、平氏が九州で勢力を持つ以前の古い時代に、どんな山の名前だったのかを知る必要がある。

（2）玖珠町

玖珠町の山田地区は、伐株山（六八五ｍ）の麓で、ＪＲ豊後森駅から、北部九州の登山愛好者にはよく知られた万年山（一一四〇ｍ）に行く途中になる。玖珠町山田には中世、玖珠城（高勝寺城）があった。今も土塀跡が残っているらしい。鎌倉時代末期、玖珠には建武の新政を行った後醍醐天皇系の皇室領が多くあったという。玖珠城は、豊後と肥後の国境に近く、肥後の菊池氏から見れば、北上する場合の橋頭堡ともいえる場所にあるという。

建武三年（一三三六）三月、足利尊氏は宗像氏範らの支援を受けて、多々良浜（福岡市東区）で、後醍醐天皇方の九州の中心勢力であった菊池勢と戦って勝利したが、この戦いの一カ月前から、尊氏は、菊池の重要拠点である玖珠城を攻めていた。なかなか落城せず、八カ月も戦いが続いたという。

玖珠城攻めは続いていたが、尊氏は豊後の大友勢を引き連れて京都奪還を目指して東上し、建武三年五月に湊川で楠正成を破って京都に入り、光明天皇を奉じて室町幕府を建てた。これに対抗して後醍醐天皇は吉野に本営を置いた。ここから、京都室町を北朝、吉野を南朝という。南北朝時代の始まりである。

平安時代後期に玖珠郡でも武士団が誕生した（『日本歴史地名大系45　大分県の地名』前掲書）。その中心にあったのが豊後清原氏であった。

玖珠城の戦いでは、地元の清原氏、大友氏、その他の豊後の諸将が、同族内部でも尊氏方と後醍醐天皇方に分かれて戦った。この時代、このような同族内での分裂が珍しくなかった。

これは鎌倉時代の終わりごろから始まった家の相続制度の変化と関係があるらしい。それまで我が国では、兄弟で公平に分割相続していたが、代を重ねると領地が細分化していくので、鎌倉末期に惣領単独相続制に変わったようである。すると惣領（長男とは限らない）に選ばれなかった兄弟は、領地も持てないまま、家臣に下らざるを得ず、その不満が一族を分裂させるもとになったらしい。南北朝時代の戦いでは、敵味方が安定せず、理解しにくいのは、こうした家の相続制度の変化による近親間の葛藤があったことも一つの要因であったようである。

（3）村上海賊が作った森藩

戦国時代に瀬戸内海で活躍した村上海賊の一党で、来島（くるしま）を拠点とした海民集団があった。その棟梁は、地名から来島と名乗ったので来島海賊と呼ばれた。

秀吉が政治の実権を握ると、天正十六年（一五八八）、刀狩りとほぼ同時に海賊行為を禁止する命令を出した。

徳川幕府は、来島氏を豊後の山間部の玖珠に行かせた。来島海賊は、関ヶ原の戦いで徳川の敵方である西軍に付いたので、その懲罰の意味があったのであろう。また伊予沖には能島（のしま）海賊もおり、この地域の海上武装勢力が多すぎて、水軍に取り立てることもできなかったともいわれている。

今治の吉武氏が、来島氏に随行して玖珠に入ったことはないかと思い、来島藩の資料も調べたが、残念ながら吉武という藩士の名は見当たらなかった。大名の移封のときには家来だけでなく、城下の商工業者の一部が同行することもあるが、来島氏の玖珠行きに関しては家臣さえ大部分は同行できなかったようである。

玖珠は、文禄二年（一五九三）からは毛利高正が治めていたが、彼はＪＲ豊後森駅の北三㎞ほどの所にある角埋山（つのむれやま）（五七六ｍ）にあった角牟礼（つのむれ）城を拠点として玖珠を治めていた。そこは、玖珠と宇佐を結ぶ道を押さえる要所であった。角牟礼城跡には今も石垣が残っている。

来島氏は、城を持つことを許されなかったので、角牟礼城があった山の麓の森地区に陣屋（藩庁）を築き、明治維新まで、玖珠郡と日田郡・速見郡を治めた。そのため「豊後森藩」といわれる。二代・通春のとき名字を久留島に変えたので「久留島藩」ともいう。

来島氏は玖珠に入ったとき、すぐに一族の氏神・三島神社を故郷、瀬戸内海の大三島から勧請して豊後森に創建した。八代藩主・通嘉は、城を持ちたかったのか、三島神社を改築すると称して、高い三層の石垣を持った神社に改築した。社殿も立派である。明治六年（一八七三）、国が神社を財政支援することになり、その代わりに小さい神社の整理を市町村に求めたので、森の三島神社も他社を合祀し、郷社・末廣神社と名を変えている。祭神は、現在も大山積之大神、天御中主之神である。

豊後森の末広神社の石垣

森の城下町は小さいが、白壁の蔵造りが並び美しい。城下町の北端は角埋山に突き当たる。その山の裾に久留島陣屋があったが、今は三島公園として整備されている。公園には児童文学者の久留島武彦の巨大な記念碑が立っている。武彦は藩主の末裔であり、この町には記念館もある。

（4）吉武山

玖珠町には「吉武山」がある。吉武山（九二七m）は、万年山の南にある、なだらかな高原の山である。また、万年山の八合目あたりの車が置ける登山口として知られている場所で「吉武台牧場」（九重町）という所がある。

私はこれらの地名を、「ヨシタケヤマ」、「ヨシタケダイボクジョウ」と読むものと長い間思い込んでいたが、玖珠町役場にその由来を教えてもらおうとお尋ねしたときに、役場の職員から「玖珠には、ヨシタケという地名はない」といわれて驚き、初めて読み方が違っていたことに気づいた。吉武山は「ヨシブヤマ」、吉武台は「ヨシブダイ」と読むのである。

そういわれてみれば、大船山に登るための登山口を「ヨシブ登山口」といっていたと思い出した。「坊がつる」の近くである。そこは「吉部登山口」と書くので読み間違いはしなかった。また、ヨシブという読み方を意識するようになってから気づいたのだが、「吉武台」は「吉部台」と表記されていることも多いのである。

吉武山（よしぶやま）の語源については、『日本山岳ルーツ大辞典』（前掲書）では、「麻生釣（あそづる）の湿地にヨシが生えて『ヨシ生（ぶ）』とも、また、佳名として山名を名付けたともいう」と記している。麻生釣とは、国道三八七号線から吉武山に入る林道の入口あたりの地名である。麻生釣には「そば処よしぶ」（玖珠郡九重町大字菅原）というソバのおいしい店がある。私は、吉武はヨシタケと読むと思い込んでいたが、最近になって山の名前から取っていたのだと気づいた。

ヨシが生える土地を吉生（葭生、ヨシブ）と名付けたという説明なら合理的である。茨城県石岡市には、「吉生（よしう）」という地名がある。これをヨシブと読むこともおかしくない。葦（芦）が生える水辺の芦辺（あしべ）、それから変化した吉部とも考えられる。しかし、麻生釣の谷が葦の生える所ならば、麻生釣の谷のあたりがヨシブと呼ばれるべきであろう。なぜ山が「ヨシブヤマ」なのかの説明になっていない。

これについては、玖珠には違う話も伝えられている。玖珠町の観光協会で聞いた話では、あのあたりの山には、馬酔木（アシビ、アセビ、アセボ）の木が多いから、アシビが変化してヨシブになったという。アシビの多い山だから「ヨシブ山」というのだという説明の方が合理的である。日本山岳会編著『改訂 新日本山岳誌』

（ナカニシヤ出版、二〇一六年）では「万年山」の記事の中で吉武台のヨシブはアセビのことであると記している。九重・玖珠の山では、毎年、野焼きをする所が多いが、家畜に有害なアシビを焼却する狙いもあると聞いたことがある。

私が調べた多くの地名辞典類では「ヨシブ」を引いても出て来なかった。それだけ特殊な地名のようである。山の名前に関する辞書（武内正『日本山名総覧——1万8000山の住所録』〔白山書房、一九九九年〕や『日本山岳ルーツ大辞典』〔前掲書〕）ぐらいにしか出て来ない。

漢字で「吉部」を引くと、山口県の「吉部（きべ）」が出てくる。「キベ」は林業に従事した部民「木部」を意味するとも、あるいは、古代の有力豪族・紀氏に属した部民だとする説もある。人名で吉部（よしぶ、きべ、きちべ）と書く名字は、非常に少ない。

ともあれ、そもそも玖珠郡に吉部（よしぶ）や吉部台という地名がある中で、わざわざ、あの山だけに吉武と別の漢字を当てたのはなぜだろうか。吉武山をヨシブヤマと呼ぶのなら、玖珠郡の人名の吉武は「ヨシブ」となぜ読まないのか。

おそらく玖珠・九重ではヨシブという地名が古くからあったのであろう。そこへ平安時代末期に吉武という表記が後から追加されたのではなかろうか。そのきっかけは吉武姓の人たちがこの地に入植したことによるのではないであろうか。

筑前で土地を失って、あるいは葦屋浦や壇ノ浦などで敗れて、玖珠に逃れて来た吉武氏たちがいたのであろう。彼らが開拓に取り組んだ山は「吉部山」であったのかもしれない。そこを開拓して生き残り、名字は名乗らずにある期間を隠棲し、平家の残党など問題にならなくなってから、名字は本来の吉武（よしたけ）を名乗るようになり、開拓した山の名も「吉武山」として、読み方は自分たちは「ヨシタケヤマ」と呼び、地元の人たちは従来どおりに「ヨシブヤマ」と呼んで、今に至るのではないだろうか。

（5）消えた吉武集落

父が集めていた古い地図には、吉武山と西隣の亀石山（九四三m）との間の谷に「吉武」という地名があった。父は、これを「ヨシタケ」と読み、壇ノ浦で敗れた平氏の落人であった吉武という武士が隠れ住んだ村だったのではないかと考えていた。この山地は農業には厳しい所であったので、その後、筑後川を下って筑後の三潴郡に移住したのではないかと話していた。

玖珠郡には平家山があり、吉武山がある。平家の財宝が眠るという伝説のある宝山もある。源平争乱との関わりがありそうな感じがする。原田種直の敗戦後、筑前早良郡の吉武名（よしたけみょう）に戻れなくなった人たちが、広大な高原が広がる玖珠に新たな土地を求めて入植したのかもしれないとも思う。

私も父の古い地図を手がかりに調べた。まさに高い山々が続く広大な高地の中の小さな谷間であり、地名があることが不思議といえる所である。現に今の地図では地名が消えている。今や玖珠町役場の人たちさえもヨシブ山の西麓に「吉武」という地名があったことを知らない。おそらく昔はそこに集落があったからこそ地名があったのだろう。この集落の位置は、現在は玖珠郡玖珠町大字山浦に属し、日田市天ヶ瀬町と熊本県阿蘇郡小国町西里に接する三つの町の境になる。

山の名がヨシブヤマというのであるなら、その谷間の集落も「ヨシブ」と呼ばれていたのだろうか。私は案外、「ヨシタケ」ではなかったかと思うが、今となっては分からない。

国土地理院の九州地方測量部に行って、五万分の一の地図で調べたところ、昭和四十五年（一九七〇）十一月発行の地図には存在するが、昭和五十一年十二月発行の地図から消滅していた。国土地理院は、地元の町の申請に基づいて地名の変更などを行っているとのことであり、昭和四十年代末ごろに、町が地名を消去するような事情があったのであろう。

終戦直後、我が国は復員兵、引揚者などが多数帰国し、昭和二十年代前半は食糧難の時代であり、食糧増産が国の最重要課題であった。吉武山がある山浦地区内には現在も「大原野(だいげんや)」と呼ばれる地域がある。ここにも開拓者が入った。しかし、ここは、標高八〇〇mを超える高原で、河川が遠く、生活用水は雨水が頼りで、電気も郵便配達もなく、小学校までは五㎞も離れていた。冬の寒さも厳しく、積雪もかなりあり、強風はたびたび家々を吹き飛ばした。開拓が一応軌道に乗ったのは昭和四十年代になってからであったという(『玖珠町史』中巻、二〇〇一年)。

推測するに、このような厳しい土地であるから、国の高度経済成長によって都市部で工業・商業などの働き口が増えるにつれて、玖珠の高原からは人々が離れ、昭和五十年代にはほとんど人が住まない高原に戻ったのであろう。昭和四十年代までは、山浦地区には「吉武」の他、「第一開拓団」や「第二開拓団」といった地名(集落名)があったが、その地名も昭和五十年代からは、「第一大原野」、「第二大原野」と変わっている。

今も吉武山には牧場や牧草地、高原野菜の畑があるが、民家はほとんど見かけず、牧場主の家らしい建物はあるが、人は住んでいないようである。吉武山の南斜面の牧場には牛だけがいて人はいなかった。牧場の世話をする人は自動車で通っていると地元の人から聞いた。

吉武集落のあった場所は、国道三八七号線の麻生釣から大原野林道に入って西へ四㎞ぐらいの所である。林道は道幅がないが、軽自動車でなら行ける。谷を渡る小さな橋がある。そのあたりが集落があった場所と思われる。橋の周囲は、今は、うっそうたる杉林になっている。谷間で強風を避けられるし、水もある。現代人が生活するには厳しい環境であるが、昔の人なら暮らせる場所であったかもしれない。昔はここに数世帯が暮らした小集落があったのだろう。住民の入れ替わりはあったとしても、昭和四十年ぐらいまでは民家が存続していたのかもしれない。橋を渡って左（南）へ行けば熊本県小国町に出る。右（北）へ行けば天ヶ瀬温泉へ行ける。不便な山の中ではあるが、行ってみると、人が隠れ住むために選びそうな場所ではある。

吉武山の所で述べたように、源平争乱の後、時間が経過し、鎌倉幕府の下で庶民の暮らしが落ち着いて来ると、吉部山に入植した吉武氏たちも、遠慮なく吉武（よしたけ）を名乗ることができるようになり、自分たちが開拓した山にも吉武山の字を当て、集落名も吉武としていたのであろう。その後、吉武山から出て玖珠川に近い平地や、国東、筑後などへ移住したのではなかろうか。

5 日田市

日田市は、吉武氏は約二十人、割合が〇・〇二四九％と少ないが、ここも「吉竹」という地名があることに着目して取り上げる。

（1）大肥町吉竹

日田市大肥町（おおひまち）には「吉竹」という地名（小字）がある。日田市といっても町の中心からは遠い西北の山間にある。福岡県境のJR日田彦山線の沿線で、宝珠山（ほうしゅやま）駅が最寄り駅である。このあたりは平成二十九年（二〇一七）七月の九州北部豪雨で被災した。幸い吉竹地区は大肥川や国道二一一号線やJR線路よりかなり高い位置にあり、大きな被害はなかったようであるが、JR日田英彦山線は寸断され、添田駅から日田駅の間が不通となった。調査に行った平成三十年三月当時、宝珠山駅には代替として小型バスが回ってきていた。

吉竹地区は、大肥町の北端になる。江戸時代には、吉竹村といわれていたようであるが、明治初年に編纂された『旧高旧領取調帳』では中島村の中の枝村扱いとなっており、吉竹の名が出ていない。明治八年（一八七五）に中島村と中村が合併して大肥村になり、さらに明治二十二年に大肥村は鶴河内（つるがわち）村と合併して大鶴村となり、大鶴村大字大肥字吉竹となった。『角川日本地名大辞典44　大分県』（前掲書）では資料編の小字一覧に「吉竹」が出ている。

宝珠山駅の南側、大肥川の左岸であり、「吉竹公民館」がある集落である。宝珠山駅の向かいには昔、筑前と豊後の国境の関所の役割を担っていたという福井神社があり、その南側が吉竹地区である。福井神社は現在は福岡県朝倉郡東峰（とうほう）村（昔は宝珠山村）の南端である。

吉竹地区には遺跡があり、「大肥吉竹遺跡」と呼ばれている。発掘調査の結果、縄文期から律令制の時代まで続く集落遺跡で、八世紀に集落が大規模化していることが判明し、また朱墨土器や硯、瓦など普通の集落とは異なる特別な出土品があった。律令期の「夜開郷（よあけごう）」については比定地が定まっていないが、「夜明」の地名が近くにあることもあって、この吉竹に夜開郷の中心となる集落があったのではないかと日田市教育委員会では推論している（日田市教育委員会『日田市埋蔵文化財調査報告書　第四十八集　大肥吉竹遺跡』二〇〇四年）。

大肥町あたりは、平安時代の中頃から、大宰府の安楽寺天満宮（今の太宰府天満宮）の荘園「大肥荘」であったという（『日田市史』一九九〇年）。

中世には、日田郡の「吉武小犬丸名」の地頭職を、鎮西管領・一色範氏が、安楽寺天満宮に寄進したとの記録があるという（『角川日本地名大辞典44　大分県』前掲書）。一色範氏が鎮西管領であったのは南北朝時代の一三三六年から一三四六年までの間である。

「吉武小犬丸名」の場所を記載した資料はないが、日田市には現在ヨシタケという地名はここしかないので、大肥町吉竹地区あたりのことであろう。吉竹地区は大分県日田市大肥町の北端にあるので、「吉武小犬丸名」

は、大肥荘の北端に、鎌倉時代以降に新たに開発された部分であった可能性を示しているのではなかろうか。犬丸は、人名としては福岡、佐賀、大分に多く、滋賀、石川などの県にもある。地名の例としては、中津市大字犬丸、石川県小松市犬丸町、宮城県大崎市古川新田字犬丸がある。小犬丸はもっと珍しい名前で、名字としては、大分、佐賀、福岡にある。地名は兵庫県たつの市にある。「小」の意味は、本体に「付属する」とか、「第二の」という意味らしい。

「犬」と付けるのは、犬が多産であることから、新しく開いた田地が豊作であるようにという願いを込めてのことであったという。それがやがて人名になる。その犬丸氏が開いた名田に犬丸という名前を付ける。「丸」は一定の区画を意味する。そして「犬丸」の後に新しく開いた田地に「小犬丸」と付けるといった使い方であったらしい。小犬丸氏が開いた田地という意味でも使われた。犬丸名、小犬丸名という名(みょう)は、福岡県や大分県の平安時代後期、鎌倉時代の地名にある。宇佐郡の高家郷(たけいごう)犬丸名、辛島郷(からしまごう)江島別符の小犬丸名、筑後国瀬高下庄の小犬丸名などである。(『日本歴史地名大系45　大分県の地名』〈前掲書〉、『大和町史　通史編』上巻〈二〇〇一年〉)。

「吉武小犬丸名」は、「名田(みょうでん)」だから、吉武氏と小犬丸氏が耕作し納税する責任を請け負っていた土地であったわけである。吉武と小犬丸という二人の有力農民が連帯責任で名主を務めていたのであろう。大肥荘にあった「吉竹」という地区の名が、地元の有力な農家の名字となって、「吉武」になっていた事例であると考えてよいように思う。

(2) 吉竹の地名伝承

日田市大肥町の吉竹地区に行ったとき、現地で聞いた話である。昔、大蔵永季(おおくらながすえ)という力士が、病んで目が見えなくなってから、このあたりでヨシやタケをさわって「これはヨシか、タケか」と問うたので、吉竹という地名ができたという。おそらく、これはヨシやタケが多かった荒れ地を大蔵永季が開墾させて、「ヨシタケ」と地名を付けた事実が反映されているのではないかと思う。

大蔵永季は、平安時代後期の日田郡の郡司の長（大領）の家系といわれ、実在した人（一〇五六～一一〇四）で、日田永季とも称した。原田氏と同じく、大蔵春実の子孫であるといわれている。春実は、藤原純友の乱の鎮圧のために京から派遣された追討軍の幹部で、九州に来て、乱の鎮圧後、筑前に定着し、その子孫は代々大宰府の役人となった。

日田永季は、相撲が強かったようで、京都の全国大会「相撲節会（すまいのせちえ）」にも、延久三年（一〇七一）から長治元年（一一〇四）までの間に十回も、相撲人として上洛・奉仕し（『日田市史』一九九〇年）、「長く貴族社会に相撲人としてその名が記憶されるような存在であった」という（西別府元日「日田大蔵氏の祖・大蔵永季について」、大分県地方史研究会『大分県地方史』一六七・一六八号、一九九八年）。地元で「力士」として伝承されたのもうなずける。永季は、「相撲の神」として日田神社に祀られている。

永季は、長治元年、大肥庄（おおひのしょう）（現・日田市大肥町・大鶴町あたり）で病没したという。

日田氏の系譜については、大蔵氏の子孫とする説の他、地元の豪族とする説もある。日田氏は歴代郡司として歴史に登場しているが、郡司は、律令以前に国造であった家など地元の豪族から主に任用されていたから、日田氏も地元の豪族であろうという推論もなされている。国司は都から派遣され、任期があったが、郡司には任期はなかった。大蔵氏は元来中央から派遣された貴族で、大宰府の高官であり、日田郡の支配者とは格が違うので、永季は大蔵系のはずがないというわけである。大宰府－国司－郡司であったから階層が二ランクも下になる。

また、原田や秋月などの大蔵氏は名前に「種」が通字となっているが、日田一族には「永」が多く使われていること、また日田に根ざした逸話が多く残っていることも、地元豪族説の論拠となっている。

しかし、日田氏は、やはり大蔵氏とのつながりがあった一族ではないかと思う。大蔵春実は、「従五位下」で下級貴族であったし、その子孫の板井、高橋、秋月などの諸氏も郡レベルの支配者であった。私領開発が盛んに行われた十一世紀の中ごろ、大宰府の役人であった大蔵氏の一族の中から、誰かが日田に進出したのであろう。『日田市史』も、地元の有力者との婚姻などによって大蔵系日田氏が生まれていた可能性に言及している。大肥荘は安楽寺天満宮の荘園であったから、結び付く縁はあったと思う。

日田郡の中心地は、現在の日田市三和天神地区であったと推定されている（『日田市史』）ので、永季は日田の中心部で亡くなってもいいはずであるが、大肥庄で亡くなったということは、彼が大肥の「ヨシとタケの地」を開発した領主であり、かつ「吉竹」という地名の命名者であったことを示唆しているように思う。

第五章　佐賀県

佐賀県では吉武姓がかなり多い。特に多いのは佐賀市（約三百人、〇・一四九％）と伊万里市（約百人、〇・一五四％）である。

肥前国は南北と西の三方を海に囲まれた土地で海の民が多かった。平安時代後期から松浦党という海民集団が現れ、源平争乱においては存在感を示した。鎌倉時代には元の襲来に対抗して海を熟知した肥前の武士たちが勇敢に戦った。

江戸時代には長崎港の警備に佐賀藩と福岡藩が交代で当たっていたが、文化五年（一八〇八）にはイギリス海軍の軍艦が長崎港に侵入してオランダ船を拿捕しようとした「フェートン号事件」が起こった。警備当番であった佐賀藩は責任を全うできなかったかどで、藩主の閉門、家老の切腹など、幕府から厳しい処罰を受けた。この経験から佐賀藩は西洋の技術導入による軍備強化の必要性を自覚し、他藩に先駆けて海軍創設に動くこととなる。安政五年（一八五八）には、筑後川河口の早津江（はやつえ）（佐賀市）に「御船手稽古所（おふなてけいこしょ）」を設けて水兵の訓練を開始したが、さらに造船の施設も整備して「三重津海軍所」とした。ここでは日本で最初に蒸気船「凌風丸（りょうふうまる）」を建造している。海軍所跡は発掘調査の後、埋め戻され、現在は佐野常民（つねたみ）記念館と一体の公園となっている。

佐賀藩の水軍には吉武姓の武士がかなりいたことが分かっている。弘化二年（一八四五）の分限帳（藩士名簿）では、藩の水軍基地があった伊万里の楠久（くすく）に吉武姓の藩士（船頭、手艑子など）が十二名おり、また佐賀城下から筑後川河口近くの早津江村、諸富（もろどみ）寺井村、川副（かわそえ）田中村あたりにも吉武姓の藩士十名がいたことが確認できる（佐賀県立図書館データベース）。

このように伊万里市と佐賀市（現在は早津江、諸富、川副は佐賀市内）は水軍関係の吉武氏がかなりいたのであるが、その他の藩士や農民の吉武氏もかなりいたはずである。

その他の地域でも吉武姓がかなりある。嬉野市が約三十人いて、後は、みやき町、多久市、小城市、武雄市、神埼市、鳥栖市、鹿島市がいずれも約二十人となっている。

第一節　佐賀市とその周辺

伊万里の吉武氏は、福岡市から松浦半島に広がった吉武氏の系統ではないかという印象を持っているが、佐賀市周辺から鳥栖にかけての吉武氏は、筑後の吉武氏が広がったのではないかと想像する。

筑後と肥前の南東部（佐賀市、神埼市、みやき町、鳥栖市など）は、筑紫（つくし）平野というひとまとまりの地域であり、昔から相互の往来が多かった。

例えば、戦国時代の例を挙げてみよう。筑後の諸将は、豊後の大友氏と佐賀の龍造寺氏の間に挟まれ苦労した時代があった。大友氏が耳川の戦いで薩摩に敗れると筑後の諸将の大方は龍造寺氏についた。蒲池氏は大友方に残って龍造寺に抵抗した。しかし、もともと龍造寺隆信は蒲池氏に保護されていた時期もあった関係だったので、その後、両者は和解し、婚姻関係まで結んだが、結局、柳川の蒲池家は龍造寺氏に滅ぼされた。西牟田氏も、薩摩軍の北上で城島を追われて佐賀に逃れ、江戸時代は佐賀藩に仕えた。

佐賀と筑後の人々の相互往来に関しては、明治以後は鉄道やバスなどの交通手段も増えて一層便利になった。県境を越えて買物、通勤、通学などの相互の往来が多い。したがって佐賀の吉武氏の多くは、筑後にルーツを持つ吉武氏ではないかと想像したくなる。しかし、水軍関係者では、伊万里から佐賀に来た吉武氏もいたであろうし、また、松浦半島は平地が狭いので、佐賀や筑後への出稼ぎ移住もあったはずである。

第二節　伊万里市

1 吉武城跡

伊万里市は、吉武氏の人数が約百人、割合が〇・一五四％で、割合は久留米市の〇・一四七％よりも少し高い。

松浦半島の海岸は、断崖が複雑に入り組んだリアス式海岸で、湾が狭く深い。伊万里湾も天然の良港である。その代わり、伊万里湾は山が海に迫っており、沿岸部には平地が少ない。それでも湾の奥の方、伊万里市街に近い方は、海は静かで、有田川や伊万里川が土砂を運んで来るので干潟もできやすい。実際に干拓で土地を造って来た。しかし、やはり概して平地は少なく、松浦半島から佐賀平野や筑後平野へ進出する人々が多かった。伊万里市の全人口は令和二年度（二〇二〇）で五万三千人である。潮の干満の差は一ｍぐらいで有明海のように大きくはない。

佐賀県伊万里市には「吉武神社」（吉武城跡）がある。所在地は伊万里市二里町大里甲である。伊万里市の西部を流れる有田川の右岸（東岸）、国道二〇二号線バイパスと松浦鉄道が交差する所、二里大橋のたもとの小山が城跡である。現在は吉武神社がある。権現山城ともいうらしい。松浦鉄道川東駅の南方になる。

伊万里市の吉武城跡と吉武神社

現地の説明板によると、室町時代に、松浦党の「吉武佐渡守源修」という武将がこの山に砦を築いていたという。吉武佐渡守は武勇に優れた武将で、民を大事にし産業の開発に尽力したので、その領地の人々はその徳を偲び、城跡に神社を建てて産土神としたという。ただし、今のところ彼について文献記録は見つかっていないようで、これ以上の情報がない。

　まったくの推測だが、吉武佐渡守は、おそらく肥前でも多くの戦いがあった戦国時代の人であろう。松浦党は「党」というぐらいだから、松浦半島の多くの浦の漁民集団が連合した組織であったようである。浦ごとに独立性が強く、頭（かしら）は船主・網元・名主の家であり、浦ごとに半農・半漁の民衆をまとめていたようである。それだけに浦の頭と地元民衆との一体感は強く、親密な関係であったのかもしれない。そのため民衆に慕われて、没後は神として祀られる武将がいてもおかしくない。松浦党全体のまとめ役は松浦宗家や分家の山代家であるが、大きな浦では、独自に城砦を構えていた武将もいたのであろう。唐津市相知町（おうちちょう）にも城があったらしい。相知町相知の「天徳の丘運動公園」に、石彫の武将の夫婦像がある。

現地の説明板によると、町内の松浦党の城跡（上戸城）で平成二十八年（二〇一六）に発見され、移設されたものという。松浦党の武将（城主夫妻）が、夫婦で成仏することを祈って、生前供養として造ったものであろうとのこと。十六世紀後半に造られたものらしい。おそらく吉武佐渡守と同じ時期ではないか。

室町時代には、戦争が多かったので、武将などが生前に供養を行い、板碑といわれる仏教信仰の石碑を建てることが盛んに行われた。板碑には、梵字で阿弥陀三尊や大日如来などの頭文字あるいは仏像が彫られている。しかし、相知町の石像は仏像でも梵字でもなく、夫婦像である。これは珍しい。松浦党の武将が、武士の体面にとらわれず、自分の気持ちを正直に出すことができる自由さを持っていたことが分かって興味深い。

吉武神社は明治十四年（一八八一）には村社の格付けがされた。吉武神社はかつては広大な社域を持っていたという。しかし、昭和五十二年（一九七七）、国道二〇二号線バイパスの設置のために権現山域の一部を含む境内の大部分を失ったらしい。

なお、吉武城については、市の資料ではまったくふれられていないので、発掘調査などは行われていないのだろう。しかし、松浦党の城跡といわれている遺跡はあちこちにあるようだ。二里町でも、地元の多くの人々が、貴重な史跡として守り、また吉武神社として祀り、敬ってきていることから、伝承は信用できると思われる。いずれ発掘調査が行われることを期待している。現地の説明板は、地元の二里公民館が、「伊万里学推進事業ふたさと塾」の事業の一環として制作し、設置しているもののようである。

2 山代町

伊万里市では山代町に吉武姓がある。特に福川内という地区には約三十人の吉武氏がいる。山の斜面の谷筋にある四十七世帯の小さな地区であるが、そこに六軒（平成三十一年三月現在）の吉武家がある（世帯数は現地で聴取）。また、隣接する楠久と、海に面した楠久津（くすくつ）という地区にも吉武姓の家が数軒あり、それぞれ約十人となっている（「姓氏語源辞典」）。弘化二年（一八四五）の佐賀藩士の分限帳には、御船頭・吉武大助など楠久在住の吉武姓の武士が十二名見られる（佐賀県立図書館データベース）。

楠久も楠久津も元は干潟が多かった所で、埋め立てや干拓で土地をつくった所だという。このあたりには「四軒屋搦（しけんやがらみ）」などの「カラミ」が付く地名があるが、「カラミ」は干潟のことらしい。

山代町は、伊万里湾の西岸で、伊万里駅から海に向かって左手、市の西北部に位置する。湾の埋め立て地に工場が多い。伊万里湾は狭く、対岸が近いので伊万里湾大橋がある。伊万里湾岸はリアス式海岸で、概して山がちであり、平地は狭い。人口が増えると外の地域へ出て行くしかない土地柄に見える。福川内も谷筋に小規模の農地を開いた所であり、分家をすれば、よその土地に出て行くしかなさそうな所である。

山代にはこのあたりを拠点としていた松浦党の武将・山代氏がいた。

山代氏は平安時代末期の山代囲（かこむ）に始まるとされている。松浦党を率いた松浦宗家から分かれた家である。松浦氏の初代は松浦久（ひさし）、二代目は直（なおす）、そして三代目の清（きよし）のとき、清の弟で六男の囲が分家して山代を名乗ったという。

山代町には地元で「山代富士」と呼ぶ城山（じょうやま）（三四五ｍ）がある。松浦直が飯盛城を建てたと伝えられており、その地を城山と呼んだのであろう。以後、戦国時代まで山代氏がいてこの地域を治めていた。しかし、戦国時代の末期、龍造寺氏に征服され、天正十五年（一五八七）には山代氏は杵島（きしま）郡北方町（きたがたまち）芦原に移されたという。龍造寺が攻めて来たとき、山代氏が城山に籠城して戦った逸話が地元には残っている。

山代町久原（くばら）には飯盛神社がある。この飯盛神社は、松浦直が飯盛城を設けたときに、城の守り神として創建されたと伝わる。場所は変遷があり、明治九年（一八七六）に現在地に建てられたらしい。祭神は伊弉諾命（いざなぎのみこと）と伊弉冊命(いざなみのみこと)である。現在は、久原の産土神として崇敬され、十月九日の「久原くんち」には浮立(ふりゅう)が催されるという。飯盛神社は、あるいは福岡市西区の飯盛神社から分霊したものかもしれない。福岡の飯盛神社の創建は平安時代前期の貞観元年(八五九)と古い。

山代町の城山からもう少し西に行くと、室町時代中期の城跡とされている「山ン寺(やまてら)遺跡」がある(伊万里市東山代町川内野)。ここも標高約四五〇mにある山城である。山ン寺は、従来は、直が築いたとされてきたが、近年の現地調査の結果、石造物などは、南北朝期から応仁の乱ぐらいにかけての時代のものと推定されているらしい。

山代氏は、神埼にあった鳥羽院領神埼荘の荘官として都から下向した嵯峨源氏流の源満末に仕え、彼を支えたという説もあるが、どの程度根拠のある話か定かではないようである。源満末は柳川の蒲池氏の祖といわれている。詳しくは第二部第二章第四節の6を参照されたい。

3 伊万里湾は佐賀藩水軍の基地

江戸時代、山代は小城藩の領地であったが、伊万里湾は、佐賀本藩直轄の軍港でもあった。伊万里津、楠久・楠久津地区は、佐賀本藩の「船奉行」、「御船方役所」、「御船屋」、湾を航行する船を取り締まる「番所」が置かれていた。楠久・楠久津の吉武氏は、佐賀藩の水軍関係の仕事をしていた人たちであるという(地元の歴史に詳しい本光寺住職の話)。

楠久津の賢海寺がある所に「船奉行役宅跡」の標示が建ててある。幕末には佐賀藩の海軍の拠点は、筑後川の「三重津海軍所」に移された。三重津は、今の佐賀市諸富町・川副町の早津江河川敷にある。大川市の対岸になる。佐賀城下から近く連絡に便利で、筑後川を経て有明海に出やすいので選ばれたのであろう。この早津江地区にも吉武姓が多く、約五十人がいる。弘化二年（一八四五）の佐賀藩士の名簿にも早津江や川副に在住する吉武氏が四名ほど見える（佐賀県立図書館データベース）。佐賀藩の水軍関係に吉武氏が多かった証拠と考えたい。仮に、もっと古くからこのあたりに吉武氏が住み着いていたとしても、吉武氏が海民であった可能性を示している。

4 伊万里と藤原純友の乱

山代町福川内の調査に行ったとき、区長をされている方に話を聞いた。その方の一族の家には火縄銃など武器も伝わっているそうで、元は伊予（愛媛県）の武家であったという。残念ながらまだ同地区の吉武氏とは話をする機会がないが、同じ地区に住んでいる人たちであり、伊予から来たという伝承を共有しておられる可能性があるのではないかと思った。

私は、かつて、肥前の武将・有馬氏や大村氏が藤原純友の子孫であることを示す系図があるというので、伊万里の山代町あたりにも、藤原純友の乱のとき、伊予から来た人たちの一部が住み着いた可能性があるのではないかと考えていた。しかし、その後、純友の乱関係の資料をいろいろ読んでみた結果としては、純友の乱のとき、肥前に伊予から来た賊軍が回遊した可能性は高くないと思う。純友軍が、肥前や有明海まで行ったという記録は見当たらない。純友の弟の純乗が一軍を指揮して柳川で大宰府軍と戦ったという話もあるが、このことについては第二部第二章第四節の1で否定的に述べたとおりである。

肥前の有馬氏や大村氏が藤原純友の末裔であるという説は、江戸時代末期成立の『系図纂要』によるものらしいが、『系図纂要』は各武家の家伝系図をそのまま使っており、他の史料で裏付けを取ったものではないようで、一九八〇年代以降の歴史研究ではあまり信用されていないようである。室町時代成立の『尊卑分脈』の方がまだ信頼されているが、これによっても純友の子孫についてはほとんど分からないようである。

第三節　唐津市

現在は、唐津市には吉武姓はほとんどないようである（「姓氏語源辞典」）。しかし、江戸時代には上級藩士の中に吉武姓が見え、歴史に名を残している。

1 吉武法命

吉武法命（義質（よしかた）、一六八五〜一七五九）は、佐賀県の教育史で欠かせない人物である。彼の兄・宗信（むねのぶ）は、土井利益（とします）が唐津藩主の時代に家老であった。法命は、儒学者であったが、実学派で実践道徳を重視し、地理学、天文学、暦学、軍学、剣術など幅広い知識があったという。教育方法としては討論を重視した。彼は、少年時代に教えを受けた藩の儒学者・奥東江（おくとうこう）（清兵衛）から大きな影響を受けていたようである。

奥東江は、東近江の人で、儒学・医学を学び、土井利益が志摩国鳥羽藩（三重県鳥羽市）の藩主であったときに招いたという。土井氏は元禄四年（一六九一）に唐津に移封され、奥も唐津に来るように説得した。奥は、唐津では藩士の教育の他、「郡邑（ぐんゆう）の惣務」（後の郡奉行の職務）にも当たり、飢饉時の藩米供出、赤子の間引き禁止と赤子手当米の支給など、多くの善政を行った。長崎聞番（勤番）も務めた。元禄十一年には、家老格の処遇となり、藩主の嗣子の教育のため江戸詰を命じられた。三年ほど江戸で勤務して、元禄十五年に近江へ帰り、宝永元年（一七〇四）に病没した。

法命は、藩主・利益が亡くなった翌年、正徳四年（一七一四）に郡奉行となり、奥流の郡政に励む。しかし、藩主の交代によって、奥の後任には朱子学派の学者が招聘された。そのため藩務におけるあつれきが大きくなったようで、享保五年（一七二〇）には野に下る。その後、再び呼子定番職や御船奉行に任じられたが、若人の教育の方に熱意があったようである。享保十七年にはついに隠居を願い出た。そして、郡奉行時代にできた人脈を頼り、庄屋や富農たちの協力を得て、七つの私塾を開いた。隠居後はそれらの塾を回って指導していたという。その後も、唐津藩内の農村では自発的な私塾開設の動きが続き、幕末には藩内に三十カ所もの私塾があったという。

余談ながら、『唐津市史』（一九六二年）には、法命が進藤源右衛門という酒屋の主人に出した手紙が掲載されているが、武士同士の手紙といってもよいほど丁重な書きぶりで、法命の人柄が分かる。講義も庶民が理解しやすい話だったようである。

唐津藩の庄屋の中には、これらの塾で学んだ人材が多かったという。江戸時代には家柄と世襲ですべてが決まったように学校の歴史では習ったが、実際には、江戸時代にも人材登用はかなり実力本位であったと思う。特に庄屋は人物・実力本位で登用されていた。村民が納得して受け入れるためには、家柄も必要だが、本人の人格と実務能力が求められた。藩の方でも、武士だけでは実務は回らない。特に、財政、農政、土木・建築などの行政実務の第一線では、各藩とも年期付きや一代限りなどで農民・町民から藩士へ取り立てることがしばしば行われていた。

唐津藩の庄屋については、独特の歴史もあった。江戸時代の初めのうちは、藩政の安定のために昔の松浦党の武士たちを大庄屋・庄屋として処遇した。しかし、藩財政が逼迫して来ると、これも改革が必要になった。庄屋が持っていた知行地支配のような特権を取り上げて、藩士のような俸禄制にし、能力に応じて移動させていく必要が出て来た。つまり特定の村に居ついた「相続庄屋」から、村を転勤する「転村庄屋」に切り替えていったのである。能力次第で庄屋が大庄屋になることも、逆のことも行われるようになったのである（この節の1については、主に『唐津市史』や、木村政伸氏の論文「唐津藩における私塾教育の研究」〔一九九五年、科学技術振興機構（ＪＳＴ）運営の電子ジャーナルで閲覧〕を参考にした）。

2 茨城県古河市との関係

茨城県の西端で、栃木県と埼玉県に接する県境に古河市（こが）がある。ここには唐津の吉武法命の足跡がある。『古河藩の武芸拾遺――史科と研究』（服部鍐弥、二〇一四年）という書籍が国会図書館にあり、その中に「吉武法命『剣術要義』」や「吉武十太夫墓前灯碑文」に関する記述があるようだ（インターネットで参照）。

唐津藩主・土井利益は、下総国古河藩の藩主の子として生まれた。その縁から、利益なき後も唐津藩と古河藩の交流があったのだろう。法命は、江戸在府のときに古河藩に行って学問所で講義したものと思われる。法命の子息・吉武十太夫敬親は古河藩士になった。古河市歴史博物館に電話でお尋ねしたところ、古河藩士の名簿にその名があるとのことである。古河藩士として吉武家が二軒あったという。しかし、その後古河の吉武家がどうなったのかは分からないとのことである。現在、古河市で吉武という姓は聞かないという。

茨城県では、吉武氏はごく少ない。土浦市、日立市、つくば市にそれぞれ約十人いて、その他九市町村にごく少数いるというが、古河市は含まれていない（「姓氏語源辞典」）。

第六章　鹿児島県

第一節　長島町

鹿児島県では、吉武姓は約二百人と少ないが、出水(いずみ)郡長島町に約八十人がいて、特に平尾地区に集中しているようである（「姓氏語源辞典」）。平尾地区は長島の北部で、天草との間の長島海峡に面した地域である。「ネットの電話帳」で見ると吉武姓の家は平尾地区で十七軒で、特に茅屋(ぼや)漁港に吉武姓の家が多いようである。場所からして、多くは漁業関係の仕事をされている家々であろうと推測する。

茅屋漁港に行ったとき、散歩中の土地の高齢の方にお話を伺ったところ、この茅屋港あたりの人たちは島原や天草から来た人が多いそうで、吉武姓の人たちの先祖もそうだろうと話しておられた。

長島は元々天草諸島の島で、昔は肥後領であった。言語的にも鹿児島弁と肥後弁の中間のような印象である。島原半島は昔から出稼ぎが多かった地域であった。元々山がちで田畑が少なく火山災害が多かったからであろう。江戸時代には寛政四年（一七九二）に「島原大変」と呼ばれた大災害（眉山(まゆやま)崩壊と大津波）があり、たくさんの人たちが他の地域に出稼ぎに出たようである。また、島原市や南島原市には各々約四十人と吉武姓の家も割合存在する。天草諸島にも、天草市や苓北町(れいほくまち)などにある程度、吉武姓がある。そういうことで島原からの移住という話はなるほどと素直に理解した。

長島近海は、年間を通じてアジやミズイカが釣れ、冬にはブリも釣れるということで、釣客も多いらしい。お話を伺った方も、遊漁船をやっていたとのことであった。ただ、近年は漁獲も減り、若い人は島を出て働く人が増え、だんだん漁業も縮小しているとのことであった。

長島は、八代海の南の入口にあり、海運・漁業の重要な位置にある。天草諸島の下島とは長島海峡で、鹿児島県阿久根市とは黒之瀬戸で隔てられている。瀬戸とは海峡よりさらに狭い海をいうようである。現在は黒之瀬戸には大橋が架けられており、車で往来できる。橋を渡ったあたりには魚料理の店がかなりある。私は出水駅からレンタカーで行ったが、一時間ほどで長島の茅屋漁港まで行けた。約四〇㎞である。島の道は、二車線でよく整備されていた。

その歴史であるが、中世には肥後国で国人領主・長島氏が治めていた。長島氏は南北朝時代以来、長島の北端の岬にある堂崎城にいた。堂崎鼻は、長島海峡に突き出た岬である。城跡には今も石段や防塁が残っている。おそらく長島氏は、瀬戸内海の村上海賊と同じように、八代海に出入りする船を監視し、通行税を取る代わりに地域の海上の治安を担っていたのではなかろうか。

しかし、戦国時代の天文二十三年（一五五四）、人吉の相良氏が長島を取り、さらに永禄八年（一五六五）、対岸の薩摩国出水郡野田（現・鹿児島県出水市野田町）を領していた島津忠兼が長島を攻め取り、その後は薩摩が支配するようになった。江戸時代も薩摩藩領であった。明治以後も、長島は肥後に戻ることなく、鹿児島県出水郡に組み入れられた。

他に鹿児島県内で吉武姓がある地域としては、いちき串木野市上名、長島の対岸（鹿児島側）の出水市野田町下名、鹿児島市明和などがあるようだが、「ネットの電話帳」ではこれらの地域に吉武の名は出てこない。

第二節　伊佐市

鹿児島県伊佐市は、旧大口市と菱刈町(ひしかりちょう)が平成二十年（二〇〇八）に合併してできた市である。

伊佐市の大口大田には小字で「吉竹」という地域がある。羽月川(はづきがわ)と国道二六八号線の間の地域で、大口病院（伊佐市大口大田）があるあたりである。以前は、伊佐郡大口村大字大田字吉竹といわれていたらしい。

伊佐市地域は九州山地の盆地である。盆地には周囲の山々から豊富な水が供給される。大口盆地にもたくさんの小河川が注いでいるが、羽月川はかなり大きな川で、大口病院に近い園田橋あたりでは、川幅（堤防の間隔）は百数十ｍはあるように思う。羽月川は大口の市街地では概ね北から南に流れており、さらに下流で川内川に合流し、薩摩灘に出る。

市街地の背骨に当たる国道二六八号線は少し高く、羽月川との間はかなり低くなっており、斜面に段々畑がある。

羽月川の河川敷にはヨシが多く、堤防には所々背の高いメダケが密生している。まさにヨシとタケの土地である。吉竹地区は、主に病院や住宅地となっているが、羽月川に近いあたりや河川敷にはヨシやタケがたくさん生えている。

吉竹という地名は、地籍図には掲載されているが、現在ではほとんど使われていないようである。

伊佐市には若干の吉竹姓があるようである（「姓氏語源辞典」）。大口大田にも吉竹姓はある（「ネットの電話帳」）。吉竹地区起源の姓であろう。吉武姓は伊佐市にはないようである。

伊佐市は、鹿児島県の北端の内陸の市で、宮崎県えびの市、熊本県人吉市と接し、昔は内陸交通の要衝として栄えたが、現在はややさびしい。昔は、薩摩川内と大口をつなぐ鉄道（宮之城線）があったが、昭和六十二年（一九八七）に廃線となったという。一九五〇年代には伊佐地方の人口も六万以上であったというが、人口減少が続き、現在の伊佐市の人口は二万五千を切っている。

伊佐市大口に行く公共交通機関はバスしかない。私は、九州新幹線の出水駅からレンタカーで行ったが、出水駅から国道四四七号線で大口まで、距離は約三〇キロであるが、曲折の多い山道である。

九州山地の盆地にあるこの地域は、市街地の標高が一八〇m前後と高いので、冬の寒さがかなり厳しい。大口の一月の気温の平年値は、四・六度である。農業は、米、サツマイモ、ネギが知られている。焼酎の醸造が盛んで、「伊佐錦」、「黒伊佐錦」が有名である。

市内の郡山八幡神社は、本殿が国の重要文化財である。鎌倉時代にこの地に封じられた菱刈氏の初代・菱刈重妙が、建久五年（一一九四）に宇佐八幡神を勧請して創建したと伝えられている。現存する本殿は、永正四年（一五〇七）には建てられていたものと考えられている。昭和二十九年、国によって本殿の解体修理が行われ、重要文化財に指定された。この修理のとき、戦国時代の末期に大工が書いたらしい木札が出て来たそうで、その木札には、座主（工事の依頼主か）が一度も焼酎を下されなかったと不満が書かれていた。木札には永禄二歳（一五五九）八月と書かれていたので、永禄年間には、この地方で焼酎づくりが行われ、庶民の楽しみとなっていたことが分かったという（現地の教育委員会の案内板）。

第七章　山口県

山口県には約一七〇〇人の吉武氏がおり、福岡県に次いで多い。特に防府市には、約千人の吉武氏がいて、全国の市町村で抜群の一位である。

山口県の吉武氏の多い地域は、下関から東へ、瀬戸内海の港をたどって行くように並んでいる。順に見ていくと、下関市（約百人）、山陽小野田市（約二百人）、宇部市（約一四〇人）、防府市（約千人）、周南市（約五十人）、下松市（約十人）、岩国（約二十人）となっている。

志村有弘編『姓氏4000歴史伝説事典』（前掲書）によれば、「周防国（山口県）の吉武氏は村上家臣で関ヶ原の戦の後に浪人となり、厚狭郡埴生（山陽町）に居住、（中略）吉武慈慶の時に島原の乱の勘定方手子となり、延宝九年（一六八一）小船頭となる」とあり、以後、藩の水軍や町方役人などの藩士として続いたようである。村上家臣というのが、どこの村上氏かは記載がないが、因島（いんのしま）を拠点とした村上氏は周防の大内氏や毛利氏との関係が深かったようである。

防府には吉武氏が多いが、江戸時代は水軍の基地があった所である。また、藩庁があった萩（約八十人）にも吉武姓がかなりあるので、吉武姓の藩士がいたことも事実と思われる。ただ、すべての吉武家が藩士や水軍関係者であったということはないであろう。

長州藩は、下関、徳山（現・周南市）、下松に支藩があった。幕末動乱期に毛利敬親（たかちか）が山口にも藩庁を開いた。藩都の萩が港町で海が近いので外国船などから砲撃を受けることを懸念したのである。明治になると、山口に県庁が置かれた。山口市に約二百人の吉武氏がいるが、幕末以降に山口市に入って来た人たちであろう。

周南市は平成十五年（二〇〇三）に、徳山市を中心に周辺の市町が合併して発足した市である。周南市、下松市、光市は隣接している。経済的な結びつきが強い一体的な地域である。

山口県にも松浦党に関係する歴史がある。壇ノ浦の合戦のとき、松浦党で最後まで平氏側として戦った唯一の武将・松浦高俊（たかとし）は生き残って捕虜となり、周防国日置郷（へきごう）（山口県長門市）に流された。そして、松浦氏に婿入りする前の旧姓の安倍に戻った。これが、元内閣総理大臣の安倍晋三氏の祖先であるという。なお、一族の祖は東北の「前九年の役」に出てくる安倍氏とされている。

第一節　山陽小野田市

山口県山陽小野田市は、山口県内では防府市に次いで吉武氏が多い。「姓氏語源辞典」では約二百人となっている。「ネットの電話帳」では、山陽小野田市には十軒の吉武姓がある（二〇一二年）。電話帳には登録しない家もあるので、十軒以上ということになろう。

山陽道（国道二号線）の海辺の町であり、埴生や小野田の港がある。古くから九州・下関と、長門・周防の各地を結ぶ交通の要所であった。

山陽小野田市は、昭和三十一年（一九五六）に埴生町（はぶちょう）と厚狭町（あさちょう）が合併して山陽町となり、そして平成十七年（二〇〇五）に山陽町が小野田市と合併してできた市である。

埴生は、古代から山陽路の宿駅があった所であるが、港もあるので海路にも便利な交通の要所であったようである。漁業の町としても知られている。

吉武姓が多いのは、埴生の上市地区（約三十人）で、港町である。私は現地には行っていないが、ここも吉武姓の家は海で生きて来た人たちのように思われる。『姓氏4000歴史伝説事典』記載のように、村上水軍にいた吉武氏が住み続けているのであろう。

インターネット上の「萩藩在郷諸士／陪臣データベース」（佐伯隆氏提供）では旧厚狭郡の舟木市村、末益村、厚狭村に吉武姓の武士・足軽が見られる。

第二節　防府市

防府市は全国の市町村で最も吉武姓が多い。約千人というから驚く。防府市では、田島に約九十人の吉武氏がいる。「ネットの電話帳」では田島地区に吉武姓の家は十七軒ある（二〇一二年）。

田島地区は三田尻の港に面している。三田尻港は長州藩の水軍の基地であった。その他、防府市では、伊佐江町に約三十人など多くの地区に広く吉武氏が分布している。「ネットの電話帳」では、吉武姓の家は伊佐江町に七軒（二〇〇〇年）、田島北山手に九軒となっている（二〇〇〇年）。

水軍の御舟倉には藩主乗用の御座船や軍船、船の建造や修理ができる設備も整えられていた。また、周辺に船頭・船大工など関係者の住宅が配置されていたという。幕末には御舟倉を海軍局と改称し、海軍学校も設けたが、明治維新後に廃止された。現在ではほとんど遺跡が残っていない。

前述のとおり、防府市の吉武氏は、長州藩水軍の船頭方であった。村上水軍の吉武氏の子孫で吉武慈慶という人が、延宝九年（一六八一）に長州藩水軍小船頭となり、以後、ずっと三田尻で役職にあったという（『姓氏4000歴史伝説事典』)。

インターネット上の「山口きらめーる」というサイトの記事では、寛政五年(一七九三)の三田尻に中船頭という役職の吉武多熊(たくま)という武士がいたことが記されている。

三田尻の田島と、松浦半島の呼子(よぶこ)・加部島(かべしま)の旧名「田島」、そして宗像大社のある田島地区と、共通する地名があるのはなぜであろうか。どの田島がより古いかは分からない。古代に海に生きた人々の移動の痕跡かもしれない。

第八章 広島県

広島県には約二百人の吉武氏がいる。全国の都道府県では十四位で、多い方である。広島県内の市町村では、広島市が多い。広島市には約一二〇人の吉武氏がいるようである。広島市内で吉武氏が多い区は東区であるが、JR広島駅のあたりで、市の中心部で人口密度が高い地域なので、割合は低い。東区約三十人（〇・〇三三三%）、中区約二十人（〇・〇一七%）、安佐南区約二十人（〇・〇一〇一%）の他、多くの区に分散しているようである。

広島市の他、尾道市約三十人（〇・〇一四六%）、廿日市市約二十人（〇・〇二一二%）、福山市約二十人（〇・〇〇三五九%）、呉市、安芸郡海田町にも少数ずつ分布が見られる。九州から神戸に向かって行く場合、広島県内は、廿日市、広島、海田、呉、尾道、福山という順に市町が並んでいる。いずれも昔から宿場町や港町として栄えてきた町である。

特に、福山には「鞆の浦」がある。岡山県境に近い沼隈半島（大半は福山市域）には、古来有名な「鞆港」がある。鞆の沖合は、瀬戸内海の真ん中になり、満潮のときは豊後水道と紀伊水道から瀬戸内海に海水が流れ込んで来て、鞆の浦のあたりでぶつかる。干潮になるときは、逆にこのあたりで東西に海水が分かれて両水道から水が引いて行く。したがって人力や風力によって陸地の目標を見ながら航海する、いわゆる「地乗り航法」が主だった時代には、鞆港は潮待ちの港としてよく利用されたのである。

鞆港には現在も江戸時代の港としての施設、高い常夜灯や、寄港者をもてなす宿場の町並みがよく残っており、文化庁の重要伝統的建造物群保存地区の指定を受けている。町の道路は江戸時代のままで狭いが、かえって外来者と町の人との交流がしやすい町である。「保命酒」が町の名物のようである。薬草酒で幕府に献上していたものという。また、船の碇を造る鍛冶屋が多かったようで、その伝統の上に鉄鋼業が発達し、現在も鉄鋼団地といわれる地域がある。

小地域別に見た場合、特に吉武氏が集中している所としては、尾道市新高山（約十人）、尾道市高須町（約十人）、広島市安芸区矢野南（約十人）、広島市東区愛宕町（約十人）、廿日市市四季が丘（約十人）があり、あとは分散しているようである。

鞆の浦を抱えている福山市の小地域に吉武氏の集中は見られないが、隣接する岡山県の井原市に吉武氏の集中地区が見られる。井原市は岡山県ながら福山市とのつながりが深い町である。鞆の浦の範囲は、鞆港あたりから岡山県笠岡市に及ぶ湾域全体を指すのではなかろうか。笠岡市の内陸側が井原市である。この地域を一体として見れば、鞆の浦にも吉武氏がいると考えてもよいのではなかろうか。

このように、広島県の沿岸部にも吉武氏がいることは、吉武氏が海の仕事をしていたことを裏付けるものと思う。もちろん、広島や隣接する海田などには自動車のマツダの関連工場も多いし、呉には昔は海軍兵学校、今は海上自衛隊幹部候補生学校がある。海田には中国地方の陸上自衛隊をまとめる第十三旅団の本部がある。このような土地柄に伴う人口移動もあったであろう。近代における広島県への人の移動には産業、軍事などの諸要素を考慮しなければならないが、それでも海の民、吉武氏の平安時代における軌跡を残しているように思う。

第九章　岡山県

岡山県には約二百人の吉武氏がいる。これは広島県と同じで、愛媛県約一一〇人よりは多い。岡山県内の吉武氏在住地としては、岡山市（約六十人）、井原市（約四十人）、倉敷市（約三十人）、玉野市（約二十人）が挙げられる。

岡山平野の地形は、児島湾が深い入江のようになって旭川の河口とつながっており、岡山平野の内部まで船で入れる。倉敷市も同様に高梁川の河口が広く、水島港もある港湾都市である。さらに、岡山と倉敷の中間の玉野には、本州・四国連絡船の港である宇野港がある。このあたりは、まさに瀬戸内海海運の要衝である。

岡山県で吉武氏が集中している小地域は、井原市木之子町が約四十人で目立っている。つまり井原市の吉武氏はほとんどすべて木之子町の住民である。木之子町では吉武氏の割合も一・〇七％と高い。岡山県ではこれは例外である。続いて、玉野市和田（約十人）、倉敷市茶屋町（約十人）、倉敷市連島町連島（約十人）、岡山市西古松（約十人）があるが、他の地域はごく少数ずつ広く分散しているようである。

井原市の中心部は海岸線から大体一五㎞ぐらい内陸に入った町であるが、木之子町から、ＪＲ山陽本線笠岡駅の近くの入江までは七～八㎞ぐらいであろうか。

井原市は、市域が二四四㎢もある広い市であるが、人口は四万人と少ない。中心市街地を除いては、ほとんどが山々に囲まれた農山村である。「中国地方の子守唄」発祥の地であるという。

井原市は、水戸藩一橋家の領地があった所である。興譲館高校付近に「史跡 一橋府江原役所址」の標柱がある。一橋家から最後の徳川将軍になった慶喜に仕えていた渋沢栄一が、農兵募集のためにここに来た。NHKの令和三年（二〇二一）の大河ドラマ「青天を衝け」でこの場面があったので見た人も多かろう。渋沢は、ここで多数の兵を集めた功績が認められ、一橋家の勘定方に入り、頭角を現した。そしてパリ万博に行く機会を与えられ、ヨーロッパ諸国を見聞した。その知識を生かして明治期に近代国家にふさわしい経済・社会づくりに貢献した。

この地域は雨天が少なく空気も澄んでおり、天体観測に有利な場所らしい。井原市の隣の浅口市鴨方町には、国立天文台の岡山分室や京都大学岡山天文台がある。井原市の北部（吉備高原）にはその名も麗しい「美星町」があり、星空を守る光害防止条例を作った町として話題になった。井原市に合併後、同条例は井原市が引き継いでいる。

井原市は広島県に隣接し、福山との結びつきが強いという。井原鉄道があり、井原駅からJR福山駅まで行く直通列車がある。井原駅から福山駅まで鉄道距離で二〇㎞しかない。

吉武姓が多い木之子町は、井原市の中心市街よりやや東、小田川の下手の南岸にある。小田川は総社市の南で高梁川と合流して瀬戸内海の水島灘へ入る。地形図だけからの推測であるが、木之子町は吉備高原や周辺の山々から来る湧水が出そうな土地であり、小河川が合流する所にあるので、かつては湿地があり、その開墾が行われた土地ではないかと思う。開発に当たった人たちの中に、吉武氏がいたのであろう。

昔は瀬戸内海の往来では、鞆の浦に泊まることが多かった。ここにしばしば泊まるうちに、海岸の干拓に関心を持ち、住み着いた人たちもいたであろう。さらには自分の土地を持つために内陸にまで進んで、木之子町の湿地を開拓して住み着いた吉武氏たちがいたのではなかろうか。

第十章　愛媛県

第一節　今治市

愛媛県には吉武氏は約一一〇人で、全国四十七都道府県の中では二十位である。県内では今治市に吉武氏が約七十人と集中して存在する。今治市内では、南宝来町（みなみほうらいちょう）、宅間、小泉、末広町、蒼社町（そうしゃちょう）などに少数ずつ見られる。その他、伊予郡松前町（まさきちょう）、宇和島市夏目町、新居浜市（にいはま）などにもごく少数吉武氏がいる。

愛媛県、旧伊予国は、瀬戸内海の中でも中国地方との間に島が連なっているので、瀬戸内海の交通を掌握しやすく、古代から中世の村上衆まで海賊衆の活動で知られた土地である。平安時代中期の藤原純友の乱においても発火点となった地域であった。

1 伊予の国府

現在の県庁所在地は松山市であるが、平安時代には今治に国府があった。したがって、藤原純友が伊予掾（いよのじょう）として勤務した場所は、この今治であった。純友が伊予掾であった時期については明確な記録はないが、下向井龍彦氏は、承平二年（九三二）から五年にかけての四年間であろうと推定されている（『物語の舞台を歩く――純友追討記』山川出版社、二〇一一年）。

松山は、古代には「熟田津」といわれた港町であり、重要な航海の拠点ではあったが、松山が伊予国の政治経済の中心となるのは江戸時代以降である。

伊予の国府の位置について『和名抄』では、越智郡にあると記す。。片山才一郎氏は、今治市上徳のうち、JR予讃線伊予富田駅の南東の地域にあったと推定されているという（田中歳雄『愛媛県の歴史』山川出版社、一九七三年）。

承平六年に海賊追捕のため紀淑人が伊予国の守か大介に補せられたとき、多数の海賊が投降したので、投降者たちに土地を与えて農業に従事させたという記録がある（『日本紀略』、『扶桑略記』）。これも伊予国でのことであった。愛媛県は海岸だけでなく山野が広いし、各地に海民が入植した開拓地があったのであろう。そうした海民の入植者の中に吉武氏も混じっていたかもしれない。

2 大三島の大山祇神社

芸予諸島最大の島である大三島は今治市に属する。ここには旧国幣大社の大山祇神社がある。JR予讃線今治駅から、「しまなみ海道」を自動車で走って四十分ぐらいの距離である。

神社の始まりは、神武東征に当たって瀬戸内海の要衝のこの島に小千命が来て瀬戸内海の治安を司ったことに始まると伝承されているから、おそらく大山祇神社は、畿内にヤマト王権ができる前から存在した古い祭祀の場所であったのだろう。古くから地神・海神として、さらには鉱山の守護神として尊崇され、大正四年（一九一五）国幣大社とされたという（三浦譲編『全国神社名鑑』下巻、一九七七年）。神社は、現在は大三島の宮浦という所にあるが、元は同じ大三島の南東の角、上浦町瀬戸にあったらしい。養老三年（七一九）に今の場所に移されたという。

祭神は、「大山積神」である（神社の公式ウェブサイトによる）。

『日本書紀』では、天照大神の孫の瓊瓊杵尊が、高天原から地上の世界に降臨し、木花開耶姫と結婚して神武天皇につながる皇室の系譜が始まることが書かれているが、このコノハナサクヤヒメの父が大山祇神であるとされている。古墳時代に大三島にいて瀬戸内海を支配していた有力な海の民の長であったのかもしれない。

しかし、私は、大山祇神は昔の人物ではなく、もっと原初的な自然崇拝から生まれた神で、大三島の山の霊を祀ったのではないかと思う。恵みの水をもたらし、農耕を助けてくれる山の神様であったのではなかろうか。

やがて、それが瀬戸内海の要所に位置することから、瀬戸内海を航海する人々が海の安全を祈願する神として参拝するようになったのであろう。

平氏が海運の安全を祈願し、平氏を倒した源氏もこの神社を尊崇したので、いつからか武家の神、戦いの神として武将の尊崇を集めるようになった。その伝統から、明治以後も海軍、海上自衛隊、海上保安庁関係者の参拝が多いらしい。全国の国宝・重要文化財の指定を受けた武具類の八割がこの神社にあるという。社号は、日本総鎮守、三島大明神、大三島宮ともいう。名前のとおり全国の三島神社の元宮である。当然、今治市と周辺地域には三島神社が多数存在する。

「大山祇神社」の名は明治時代になって正式に決められた名称であり、江戸時代までは「三島神社」、「大三島大明神」と呼ばれていた。

第二節　瀬戸内海の海賊衆――村上海賊

伊予は、古くから海賊活動が活発であったといわれる。江戸時代までは「水軍」と「海賊」とは区別され、村上氏に率いられた海民は私的な集団として「村上海賊」といわれていたようである。明治以降「水軍」と呼ぶことが多くなった。

海賊といっても、海上で活動する私的な武装集団であり、平素は普通の海の民であった。瀬戸内の沿岸や島の庶民は、十分な田畑が持てず、漁業も網などの道具が発達していなかったから、生活は苦しかった。生活のための物資も不足した。治安に関しても、戦国時代まで海上には公権力の力が届かなかった。そのため、海民が、船の水先案内料や通行料を取ったり、難破船から物資を横取りすることはある意味やむを得ない慣行として黙認されていたのである。

例えば、中世の村上海賊は、通行する船を見つけると通行料を払わせた。金を払った船には「過所旗」（通行証となる旗）を渡して、それを掲げていれば安全な通行を保証した。「上乗り」といって水先案内も引き受けた。輸送船の警護を行うこともあった。台風などがあれば、難破船から積み荷をいただくこともあった。武力行使をすれば、自分たちにもけが人や犠牲者が出るので、やたらに乱暴はしなかったようである。通行する船と、時間をかけて粘り強く交渉して、値段を決めて通行料をいただいたようである。金を払わず、強引に通行しようとする船には攻撃をしかけることもあった。

海民たちは、リーダーを立てて協力し合う集団を作っていた。『日本紀略』の記事でも平安中期の伊予国司の海賊取り締まりに投降してきた指導者の名前が何人か出ている。皆立派な名字があり、地方の有力者だったことが推測できる。

江戸時代の玖珠の豊後森藩は山国であるが、その藩主・久留島氏とその家中の武士たちは、元は、愛媛県今治市の来島を拠り所に活躍した海賊であった。

村上海賊には、来島、能島（のしま）、因島（いんのしま）を拠点にしていた三つのグループがあった。これら三つの島は、今治から尾道に渡る島々を橋でつないだ「しまなみ海道」に沿って存在している。現在の行政区画では、来島と能島は今治市に属し、因島は広島県尾道市に属する。

今治から「しまなみ海道」の最初の橋を渡った大島の宮窪（みやくぼ）という所に、今治市立の「村上海賊ミュージアム」がある。能島城に近い海岸である。能島村上家伝来の貴重な品々が展示され、鎧などを着る体験活動など、大人も子どもも楽しめる海賊博物館となっている。

今治市立村上海賊ミュージアム

今治市の資料によると、村上海賊は、十四世紀中頃から十六世紀まで瀬戸内海で活躍した。来島城に拠った来島村上氏は、伊予国守護の河野氏の重臣として遇された。因島村上氏は、周防国の大内氏や毛利氏の水軍として活動した。

能島村上氏は独立性が強かったようで、特に村上武吉が指揮した時代には、周辺の戦国大名たちと距離を置きながら、独自の姿勢を貫いたという。

能島はごく小さい島で今は無人島であるが、通過する船を発見しやすい場所にあり、周辺の潮の流れが速くて岩礁が多く、恰好の海賊基地であったのだろう。能島では海賊全盛の時代には二百人ほどの男女が暮らしていたという。

来島、因島もそれぞれに、狭い海峡の潮流の激しい箇所に小城を構えて、瀬戸内海を通る船の交通を把握して仕事をしていた。

十六世紀末に豊臣秀吉が全国統一を成し遂げると、刀狩りと同時に海賊行為の取り締まりを厳格化した。通行料の徴収も禁止されたので、海賊たちは、各藩の水軍に加わったり、海運業、漁業、農業などで生きる道を選んだ。

「水軍」というのは、本来は江戸時代の幕府や各藩の正規軍の場合に使うべき用語である。村上水軍という言い方は、明治期に日本海軍が海軍史を編纂する際に、海賊ではイメージが悪いので、江戸時代の諸藩の水軍と同様に「村上水軍」というようにしたものらしい。

村上水軍の中にも吉武と名乗る人たちがいたという。森岡浩編『全国名字大辞典』(前掲書)には、瀬戸内海の村上水軍に吉武氏がいたという説明がある。

近江の吉武氏も、伊予の村上氏も、信濃の村上氏から出たという説がある。『尊卑分脈』では、村上氏は清和源氏の源頼信の子孫だとする。しかし一方、瀬戸内の村上海賊の家々では村上天皇を先祖とすると信じられているようである。いずれにせよ、古い時代のことは諸説があり、よく分からない。

瀬戸内の村上氏の系譜について、村谷正隆氏が『海賊史の旅——村上水軍盛衰記』(海鳥社、一九九〇年)にまとめておられる。これを読むと、瀬戸内の村上氏は、瀬戸内海沿岸の地元漁民の間から出てきたリーダーであったという印象が強い。村上とは、ムラのカミであり、漁村の長の呼称から出た氏名であろうという。高貴な出自であるという系図は、諸国の水軍としての役割も担うようになってから、家の格式を整えるために作成したのではなかろうか。

第十一章　香川県

香川県の吉武氏の数は約二百人で、全国十四位である。人口比では〇・〇一三八％で、全国の都道府県では七位である。

県内では、さぬき市が約八十人で、高松市に約四十人、丸亀市に約十人、木田郡三木町に約十人で、後は分散分布している。さぬき市の吉武氏の割合は、〇・一一八％と比較的高い。

さぬき市は、平成十四年（二〇〇二）の大川郡津田町・大川町・志度町（しどちょう）・寒川町（さんがわちょう）・長尾町の合併で発足した市である。高松市の東隣の市で、志度湾や津田湾があり、海に面した市である。

小地域で吉武氏の多い所を見ると、さぬき市大川町富田中（とみだなか）が約五十人で最も集中しており、ここは人口比も二・一七％と高い。ここは津田湾の海岸から西南に三㎞ぐらい入った内陸になる。ここは富田荘という皇室領の荘園であった所だというから、肥前の神埼荘などと同様に、平安時代末期には平氏の管理下にあったのであろう。

富田中の次に多いのが、さぬき市鴨部（かべ）という所で約二十人いる。ここは、志度半島の付け根の津田湾側である。次は、丸亀市西平山町と高松市屋島東でどちらも約十人となっている。丸亀市西平山町は丸亀港の町である。高松市屋島東は、名前のとおり屋島の東側の入江の町である。

九州から京都へ租米などを運ぶ通常の海上輸送のコースは、山陽側の海岸沿いであったようなので、九州から摂津に向かう船が讃岐の方に寄ることはあまりなかったのではないかと思われる。したがって、このあたりに吉武氏がいるきっかけとなったのは、屋島が平氏水軍の基地であったことによるのではなかろうか。

平氏は中国・四国・九州に支持勢力を持っていた。屋島の平氏軍も、瀬戸内海の島々や沿岸各地から動員された水夫たちが支えていたのであろう。寿永四年（一一八五）二月、讃岐の屋島にあった平氏の水軍基地を源義経軍が攻めた。このとき、屋島から離脱した平氏方の武士や動員された水夫たちが、大川郡の志度や津田あたりに逃げて、その後住み着いたということは十分考えられるであろう。

志度には平氏ゆかりの寺院、いわゆる「志度道場」があったので、そこで平氏は軍勢の建て直しを図るつもりだったのではないかともいわれている。しかし、追って来た源氏方の兵が次第に増えると、平氏方は志度も放棄し、船で瀬戸内海を西（下関方面）へ行ったという。そして壇ノ浦合戦となるのである。

第十二章　兵庫県

兵庫県には吉武氏は約三百人いて、都道府県では十二位である。

兵庫県には、昔の国名で、播磨、但馬、淡路の三国に加えて、摂津、丹波も部分的に含まれており、海がある国とない国がある。古代の良港があった所としては摂津が代表的である。

摂津は、記紀の時代には「津国（つのくに）」ともいわれた。港の国という意味であろう。律令制の時代、摂津と筑前には主船司が置かれ、官物の輸送に関わる船の管理を行っていた。摂津は、現在は大阪府と兵庫県に分かれている。

平安時代の文献資料には「摂津の河尻」という表現がよく出てくる。河尻というのは河の末端の意味であり、現代語でいえば、河口のことである。西国と京都の間の船便による往復の際によく利用されていた淀川の河口の港を指すらしい。具体な場所については、文献ごとの文脈によって、尼崎（あまがさき）市の南東部の港が比定されたり、大阪市東淀川区の江口が挙げられたりしているが、『国史大辞典』第三巻（吉川弘文館、一九八三年）では尼崎市今福付近としている。

平安時代の十二世紀後半に、平清盛が神戸の港「大輪田泊（おおわだのとまり）」を拡張・整備し、大船が入れるようにしたという。

大輪田泊は、神戸市兵庫区の大阪湾岸にある和田岬の東側にあったらしい。岬が西風を遮るので、天然の良港であった。ただ、港の東側が開けているので、東南からの風で船が被害を受けることがあったという。そこで、清盛は岬の東南側に防風・防波のための人工島「経ヶ島（きょうがしま）」を築かせた。その名の由来は清盛が工事の成功を祈願して経文を書いた石を基礎として沈めたことによるという。経ヶ島は、現在の神戸空港からポートアイランドを経て神戸市内に入るその途中にあるのではないかと推測しているが、正確な位置は分からない。

また、平清盛は、わずか半年の間だったが、六甲山（ろっこうさん）の海側、福原（神戸市兵庫区・中央区付近）に都を移した。

このように兵庫県は、古代から津の国であり、神戸がその代表的な港町であった。九州から官物の輸送に動員された吉武氏が神戸に着いていたことはおそらく間違いなかろう。九州から畿内へと船で往復しているうちに、摂津に住み着いた吉武氏がいたかもしれないし、あるいは吉武氏を船頭とする船の世話をしていた地元民の中で、吉武を名乗るようになった人たちもいたかもしれない。

兵庫県は、福岡県に次いで吉竹姓が多く、「姓氏語源辞典」では約六百人となっている。中でも丹波市が約四百人で、これは全国の市町村の中で最も多い。次いで、西宮市約五十人、宝塚市約三十人、篠山市、神戸市北区、西脇市がそれぞれ約二十人となっている。なお、吉武姓は、丹波市にはごくわずかで、神戸市、西宮市、宝塚市、尼崎市、明石市、川西市など瀬戸内側に偏っている。

太田亮『姓氏家系大辞典』第三巻下（前掲書）によれば、『丹波志』に、丹波国氷上（ひかみ）郡の多田村に吉武氏がいたとの記述があるとのことである。私自身は『丹波志』を確認していない。丹波には現地調査にも行けていない。同書には、この他、摂津、武蔵などにも吉武氏がいたとの記述がある。

丹波市に吉竹姓が多いのはなぜなのか。丹波は海から遠い内陸の山間の盆地であり、豪雪地と聞くが、山間の湿地で、ヨシとタケの多い土地なのかもしれないと想像している。

第十三章 大阪府

大阪府の吉武氏の人数について「姓氏語源辞典」では約六百人と推計されている。都道府県では第六位である。大都市であるし、やはり近代になってからの転入が多いであろうが、歴史的には摂津国であり、淀川水運の港があるので、古くから九州の吉武氏が淀川河口あたりにも来ていたはずである。

市町村別の吉武氏を見ると、堺市（約八十人）、高槻(たかつき)市（約三十人）、東大阪市（約三十人）、寝屋川(ねやがわ)市（約三十人）、茨木(いばらき)市（約三十人）、豊中市（約三十人）、後は、大正区、平野区など大阪市内の各区が多いようである。大体、大阪湾から京都市へ向かうルート周辺の市である。

大阪府には吉竹氏も比較的多い。約三百人がおり、都道府県別の吉竹の順位で、福岡県（約八百人）、兵庫県（約六百人）に続いて三位である。枚方(ひらかた)市（約四十人）、茨木市（約三十人）、豊中市（約三十人）に見られる。枚方、茨木、豊中は、大阪湾から京都に行く途中の町で、淀川筋に沿っている。

第十四章　京都府

京都府には約二百人の吉武氏がいる。全国四十七都道府県の中で十四位であり、多いというほどではないが、少ない方でもない。人数でいえば京都府より多い県が多数あるのに、なぜ京都府を取り上げるかといえば、やはり吉武という名字は、北部九州の海民の移動と共に、九州から京都へと広がったという仮説を検証したいからであり、また、福岡県宗像市田島の吉武氏が南北朝期に京都から来たという伝承があるのを考慮してのことである。

京都府内の市町村で見ると、京田辺市と宇治市で各々約二十人なので集中度は高くない。あとは、京都市伏見区、八幡（やわた）市、京都市中京区、南区、右京区、山科（やましな）区、左京区、舞鶴市などに約十人ずつぐらいいるようである。割合も低く、京都府で吉武氏が多い京田辺市でも〇・〇四％にすぎない。大阪や京都は明治以後の人口流入が多かったので、人口比の少ない吉武姓は割合が下がるのであろう。

京都府で吉武氏の多い地区は、京都市の南部に集まっている。京田辺市、宇治市、伏見区、八幡市はひとかたまりの地域である。京都の中心部は中京区であるが、そこから見れば、かなり離れた南の郊外である。この地域に吉武氏が偏っているのには何か歴史的な理由があるのではないか。

やはり水運と関係があるのではなかろうか。この地域は、北からの保津（ほづ）川・桂（かつら）川、東からの宇治川、南からの木津川が合流して大きな淀川になる所で、京都周辺と大阪湾をつなぐ水運の要衝である。

北部九州の海の民であった吉武氏が、瀬戸内海航路の海運に従事するうちに、難波津から淀川をさかのぼって京都の南郊にまで来ていた可能性が考えられる。商業的交流の中で筑紫から来た吉武氏の名前が京都南郊の人たちにも知られ、水運関係の仕事に関わっていた人たちの中から吉武を名乗る人が出てもおかしくない。中には九州から来て京都に残る九州出身の吉武氏もいたかもしれない。ただし、川が集まる所は、物資が集まる所で、産業が発達する地域である。海の民ならずとも仕事を求めて自然に人が集まる。京都南郊もそういう地域なのであろう。

福岡県宗像市の田島地区の吉武氏の間に、足利尊氏について九州に来たという伝承があるが、それは事実かもしれない。南北朝期にも畿内の淀川流域に海の知識・技術を持った吉武氏がいたのだろう。尊氏は、西国に下るに当たり、船と航海の技術を持った人たちが必要になると考えて、京都南部の海運の経験者を動員したかもしれない。ただし、京都で足利尊氏を助けていた武将の中には豊後の大友氏がいたので、大友氏の家来に豊後出身の吉武氏がいた可能性もある。豊後出身の吉武氏が、京都から尊氏に随行して九州に下り、そのまま宗像に住み着いた可能性も考えられる。

宗像の吉武氏の数は多く、京都から来た人々があったにせよ、その子孫は宗像市の吉武氏の中ではごく少ない割合であろう。

なお、京都府には吉竹姓も約二百人おり、都道府県別で第四位である。京都府内の市町村では吉竹姓の多い兵庫県丹波市に隣接した福知山市で最も多く、約三十人がいる。次いで宇治市には二十人がいる。

第十五章　滋賀県

第一節　高島市

滋賀県には現在、吉武姓はごく少ない（約百人）が、高島市新旭町に昔は吉武村があった。また吉武姓の家は今も存在しているようである。

新旭町には吉武城跡があり、その城主として吉武壱岐守という武将がいたことが伝えられている。

高島市は、福井県との県境の山岳部から琵琶湖西岸に及び、地図でも目立つ滋賀県内最大の市である。しかし、市の大部分は山がちの土地で平野は少なく、琵琶湖に突き出た半島部だけが平野である。滋賀県の中では北寄りの地域で、冬は寒さが厳しいという。日本海から冷たい湿った風が福井側の山々を越えて吹き込み、降雪量が多く、三〇～五〇㎝の積雪が珍しくないという。主要道路には融雪装置がある。

高島は、関ヶ原の合戦で石田三成を捕らえた功績で柳川城主・筑後国主となった田中吉政の出身地である。高島市安曇川町の出であるらしい。

琵琶湖に突き出している半島部は、安曇川がつくった乳房のような形の扇状地で、湖岸に近い地域は湿地帯で沼や水路が多い。新旭町針江地区は、「生水の郷」と呼ばれている。生水とは湧き水のことらしい。この地域には山岳地帯の積雪に由来する豊富な湧き水があり、水路が集落の中を巡り、「かばた」（川端）といわれる風景が見られる。心がなごむいやしの里である。「針江・霜降の水辺景観」として「重要文化的景観」に選定されている。

こういう土地柄の湖岸であり、葦原と竹林の多い土地である。かつては高島あたりは、ヨシで作った葦簀（葭簀）や淡竹（ハチク）で作った扇骨（扇子の骨）の一大産地であった。ハチクは孟宗竹などよりタケの質が固く扇骨に適しているので、ハチクを選んで栽培していたようである。現在は、葦簀も扇骨も、値段の安い中国製品に押されて、産業としては衰退してしまっているという。現在は、夏用のステテコに使われるようなクレープ布地（伸縮性のある薄地の凹凸のある布）を中心とした繊維産業が盛んだとのことであるが、新旭町の全体的な印象としては農林漁業の地域と思われる。

高島市新旭町旭には、明治の初めまで吉武村があった（明治六年（一八七三）の地籍図による）。「下吉武村」と記す資料もあるが、江戸時代前期の寛永年間（一六二四～四四）の石高帳には「吉武村」と記載されているという（『日本歴史地名大系25　滋賀県の地名』（平凡社、一九九一年）など）。高島市役所に照会したところ、現在の地籍図には吉武という地名はないとのことであった。

吉武村は、ＪＲ湖西線の新旭駅の北東部、旧岡村の東、森村の北という位置にあった。吉武壱岐守の所領であったという。ここは、小さな村であったようで、江戸時代のうちに無人となり、事実上森村の管理下にあったようだ。明治八年には森村に吸収合併され、明治十二年に旭村、明治二十二年に饗庭村となり、昭和三十年（一九五五）に新旭町となった。

天正二年（一五七四）の田畑の記録に「吉武彌六」や「よしたけ孫二郎」などの名があるという。タクシーで聞いた話では、現在も、旭地区や隣接する五十川地区には吉武姓の家が数軒あるとのことである。

第二節　吉武壱岐守

1 近江高島の中世豪族

近江高島には、中世に吉武壱岐守という武将がいた。

吉武壱岐守については、いろいろな説話が伝えられており、一人ではなかったらしい。『新旭町誌』（一九八五年）は、「吉武氏は、木津庄の庄官（城主）としての事績と、法泉寺の住職（僧侶）としての事績の両面が伝えられることや、初代吉武壱岐守以来、数一〇〇年の長い期間にわたり、代々『壱岐守』を襲名したこと、そしてその間に一族離散という悲劇があったことなどで（中略）数代の事績が、同一人物の事績と伝えられたり、あるいは同一人物の事績が、数代に分かれて伝えられたりしたのではなかろうかと考えられる」と記している。

高島の吉武壱岐守の家は、鎌倉時代から戦国時代にかけて木津荘（こうつのしょう）の荘官で、高島市新旭町饗庭の五十川城を本拠としたとされている。応永二十九年（一四二二）の『木津荘検注帳』にも吉武募（つのり）という荘官名が記されているという。木津荘は、新旭町の北部にあった比叡山延暦寺の荘園で、日爪（ひづめ）城、五十川城、吉武城は、この荘園の域内にあったという（高島市教育委員会編『高島の山城と北陸道』サンライズ出版、二〇〇六年）。

高島郡の吉武壱岐守の家は、元来は延暦寺の門徒で「饗庭三坊」（西林坊、定林坊、宝光坊）を預けられていた。戦国時代後半には高島郡は浅井長政の支配下にあり、永禄九年（一五六六）ごろには、浅井長政が荘園の年貢の一部を饗庭三坊にあてがっていた。吉武壱岐守は比叡山の末坊の住職であり、浅井氏の下にあった。吉武壱岐守の一族は、おそらく饗庭三坊といわれていた寺院と城を兼ねた五十川城などを管理していたのであろう。饗庭三坊の最後については、元亀二年（一五七一）から四年の間に織田信長の軍勢に攻撃されて焼失したようである。高島市文化財課によれば、元亀三年に明智光秀が、饗庭三坊を攻撃し城下を焼いたと信長に報告した書状があるという（以上、主に『新旭町誌』、『広報たかしま』二〇一二年十二月号による）。

後でふれる法泉寺の伝承では、吉武壱岐守が高島を追われた時期について、元亀年間ではなく、「天正十一年（一五八三）の秋、兵乱によって吉武城は陥り、城主は八人の家来と共に、美濃の国、斎備中守の許に逃れ、その後は行方知れず」という（『新旭町誌』）。しかし、元亀四年（天正元年）七月には朝倉義景、八月には浅井長政が滅ぼされており、天正十年六月には信長は京都で明智光秀に殺された。したがって天正十一年には近江で兵乱はなかったのではないかと思われる。

『高島郡誌』（高島郡教育会編、一九二七年）では、吉武壱岐守の父・饗庭弥太郎は美濃国の守護・土岐氏の子孫であるとしているらしい。しかし、その根拠ははっきりしないようである。土岐氏とは無関係の地元の名主層か富農であったかもしれない。市教委の資料でも饗庭三坊の主は「有力土豪」であったと記している（『広報たかしま』や『高島の城と城下――城・道・港』前掲書）。

城を失った後の吉武壱岐守についてである。高島郡を制圧した織田信長は、郡の要であった海津城に重臣・村上頼勝を配置した。その後、時期は不明だが、頼勝は壱岐守を取り立てたようである。天正十年六月の信長の死亡後のことではないかと想像する。

天正十五年に、頼勝は秀吉から加賀国能美郡を与えられ小松城主（石川県小松市）となった。このとき壱岐守は、頼勝に命じられて加賀国白山麓の鳥越城主となった。鳥越城は加賀一向一揆の拠点となった城であったが、天正十年までに織田勢によって完全に制圧されていた。

さらに慶長三年（一五九八）、村上氏が越後本庄城（後の村上城）に入ったとき、壱岐守は随行して行ったと考えられる。そのころ、吉武壱岐守は村上氏の筆頭家老であったといわれている。

2 壱岐守の城

(1) 五十川城

高島市新旭町饗庭五十川には、吉武壱岐守の本拠であったといわれる五十川城跡がある。湖岸からは直線距離で一・五kmぐらい内陸に入った所にある。県道沿いの大国主(おおくにぬし)神社(五十川神社)の裏山の頂上近くに壱岐守の菩提寺・報恩寺があり、お寺の裏手が城跡である。

饗庭(あいば)野台地という広大な高原の東端、稲荷山の丘の上にある。標高一一五mと高い場所である。山城で、土塁、基壇、空堀、削平地などの遺構があるらしいが、山頂部には新旭町の配水池の施設があり、立ち入り禁止となっている。その周辺の森も倒れた木や竹などが重なり、かなり荒れた状態である。

教育委員会による城跡の案内板は報恩寺の駐車場に立てられている。寺は曹洞宗で、開基は宗眞(そうしん)という僧侶で、吉武壱岐守と共に越後で仏教の修行をし、壱岐守が没した後に当地に戻ったとされている(『日本歴史地名大系25　滋賀県の地名』前掲書)。吉武壱岐守と宗眞の二人を開基者とする資料もある。

報恩寺境内から湖の方(東)を見ると、見晴らしがよく、北国(ほっこく)街道、JR湖西線、国道一六一号線が一望できる。

戦国時代末期に、高島郡には延暦寺の末寺・饗庭三坊があり、吉武壱岐守の兄弟が三坊を預かり、有力土豪として台頭したとされている。五十川村には宝光坊の地名や吉武の人名が残っているというから、五十川城は吉武壱岐守が預かった宝光坊であった可能性が高い。

麓の大国主神社は、元来延暦寺領・木津荘の総鎮護社として置かれたものという。祭神は大己貴神(おおなむちのかみ)である。

大己貴神は、大国主神であるといわれ、島根県出雲市の出雲大社の祭神である。

この神社は、平成三十年（二〇一八）九月の台風二十一号で、樹齢五百年を超える杉の大木二本が倒れ、拝殿が全壊するなど、大きな被害を受けている。吉武氏に縁のある神社であり、なんとか復興してもらいたいものである。

五十川城は、信長が浅井氏・朝倉氏を攻略する過程において攻撃され、焼かれたと見られる。

（2）吉武城

吉武城は、築城時期ははっきりしないが、吉武壱岐守が戦国時代に築城したとされている。城跡は、滋賀県高島市（近江国高島郡）新旭町旭にある。湖岸に近く、引き込み水路で湖につながっていた小規模の平城であったようである。

吉武氏の本城は、内陸の五十川城であったが、そこからは東へ一㎞ぐらいは離れている。五十川城は高い所なので、そこから琵琶湖を見降ろすと、湖岸に吉武城を見ることができるという位置関係にある。

バス停「森・吉武城跡前」がある。今は吉武城跡は芝生の運動場となっており、「吉武グランド」の看板が立っている。城跡らしい遺跡は表面上は何もない。教育委員会の現地説明板があるのみである。吉武という地名は、現在の地籍図にはないらしいが、「吉武グランド」という名称から推察して、このあたりの俗称として残っている可能性は考えられる。

国道一六一号線から青い屋根の太陽精機本社琵琶湖工場までの間が吉武城があった所のようである。太陽精機の工場の住所は、新旭町旭字城ノ下という。この「城ノ下」とは、吉武城の下という意味であろうか。他にも「裏門」、「舟道」、「牛ノ馬場」など城と関係のありそうな地名が残っているとのことである。

高島市の吉武城跡。今は芝生の運動場となり、バス停「森・吉武城跡前」がある

『信長公記(しんちょうこうき)』によれば、元亀二年(一五七一)九月に信長が比叡山延暦寺を焼き討ちしたこと、元亀三年七月に、信長勢が浅井氏の小谷城を攻めたとき、高島郡の海津浦などに向けて琵琶湖上の船から火矢、大筒、鉄砲を撃ちかけて、浅井方の地を焼き払ったことが書かれている。さらに元亀四年七月には、信長が高島方面を大船を用いて攻めたことが記されている。このとき、木戸城と田中城を取り、これら両城を明智光秀に下賜したとある。五十川城や吉武城という名が直接出てくるわけではないが、両城が焼失した時期は、元亀二年から四年(天正元年)の間ということになろう。

昭和六十一・六十二年度に吉武城跡の発掘調査が行われており、十六世紀後半の建物跡や堀や舟溜まりと推定される堰の跡が発見された。火に焼かれた陶器、石仏、石塔などが投棄された状態で見つかり、また「慈生寺」と墨書された遺物なども発見されたという(滋賀県教育委員会『高島バイパス新旭町内遺跡発掘調査概要――吉武城遺跡』一九八七年、滋賀県教育委員会『一般国道一六一号線(高島バイパス)建設に伴う新旭町内遺跡発掘調査報告書V　針江川北(II)遺跡・吉武城遺跡　本文編』一九九三年)。

発掘調査の結果から、吉武城は寺と城を兼ねていたと推測されている。僧兵が詰めた延暦寺の寺院であり、戦いのときは砦になったのであろう。焼けた痕跡のある石仏や石塔などが出たことは、浅井氏・朝倉氏攻略の一環として、織田信長の命を受けた明智光秀が高島郡を攻撃し、城を攻め落としたという記録を裏付けるものと考えられる。

吉武城には、湖に通ずる溝や水を溜める堰が構築されていたことが発掘調査で分かった。物資補給の基地であったと推定されている。発掘調査の後は埋め戻され、堀や舟溜まりなどの遺構は見えない。

3 法泉寺伝

高島市新旭町饗庭に「法泉寺」という寺がある。浄土真宗大谷派の寺院である。JR新旭駅から北へ九〇〇mほどの所、県道沿いにある。天福元年（一二三三）に吉武壱岐守が開基したという。寺の門前の碑には、「真宗大谷派法泉寺」という表示があり、その側面に、「蓮如上人御旧蹟　吉武壱岐守墓所」と彫られている。『新旭町誌』（前掲書）によれば、法泉寺には、初代の吉武壱岐守のエピソードとして次のような話が伝わっているそうである。

鎌倉時代、安貞二年（一二二八）のこと、五十川城主・吉武壱岐守饗庭は、ある日狩りをした。安曇川のあたりで二羽の鶴が飛んでいるのを見つけ、弓で一羽を射落とした。次の年、壱岐守は去年と同じ場所で狩りをして、また鶴を射落としたところ、その鶴は翼の下に白骨となった鶴の首をしっかりと抱きかかえていた。去年射落とした鶴は夫婦の片方であったわけである。壱岐守は鶴の夫婦愛に深く感銘を受けた。そして仏教を真剣に学ぶことを思い立って、高野山へ登り、名を饗庭法印と改めた。法印は、その後仏教を越後などで修行し、貞永元年（一二三二）高島郡に戻って庵を建て、建長六年（一二五四）に没した。以後、吉武氏は代々「壱岐守」を襲名して木津荘を支配し、十代続いたようである。

なお、武将が鳥の夫婦を射落して反省し出家するという話は、よくあるものらしい。福岡県の大刀洗町の本郷城主・三原氏の初代・三原弾正時勝の逸話も、ツルではなく「オシドリ」に置き換えた物語である。

第三節　安曇川と海人族

高島市の平野部は、安曇川がつくった扇状地である。

安曇川は、地元では「あどがわ」というが、長野県の安曇野のように「あづみがわ」とも読める。『新旭町誌』（前掲書）では、アヅミも、アドも同じく「海」を意味する言葉であると説明している。また、安曇野市のホームページでは、アヅミは「海津見」が転じたものであるので「あづみの」と表記すると説明している。

この安曇川流域は、古代日本の黎明期に、九州から安曇海人族が移住してきたといわれている。橋本鉄男氏の『近江の海人――ひとつの琵琶湖民俗論』（第一法規出版、一九八二年）などにおいて、このテーマが取り上げられている。

新旭町の太田地区（安曇川沿いの琵琶湖に近い地域）には、阿曇比羅夫（安曇とも書く）の墓と伝えられている石碑「大将軍塚」があるそうである。この阿曇比羅夫という人物は、七世紀中期にヤマト王権に仕えた人であり、朝鮮半島に遠征したこともある将軍であったという。その名前からして、古代の海人族・安曇族のリーダーであったことが分かる。阿曇磯良の子孫であろうという。磯良は、博多湾の志賀島の安曇族のリーダーで、志賀海神社の社伝には、神功皇后が三韓出兵のときに磯良に協力を求めたことが伝えられている。

また、海人はアマと読むが、高島市には天川という川の名や小字名もあるそうで、高島市は安曇族などの海人族とゆかりの深い土地のようである。

安曇川の上流からは弥生時代の漁業で使われた土錘（おもり）が出土しており、海人族がこの地に定着した証拠であるという（『安曇川町史』一九八四年）。

福岡県の志賀島あたりにいたとされる九州の安曇（阿曇）族が、ここまで来たのかもしれない。日本海から入るルートもあるが、琵琶湖は水路で大阪湾までつながっている。琵琶湖の水は、瀬田川を下って京都府南部で宇治川となり、やがて淀川となって、大阪湾に注いでいる。

『新旭町誌』も、海人族は、三世紀以前に、日本海側からと瀬戸内海側からのルートで近江に進出した可能性があるとしている。そして五世紀後半には、近江において有力な集団になっており、近江の琵琶湖岸の高島郡に前方後円墳を含む古墳を多数築いたという。ところが、六世紀中頃から急に近江の古墳の規模も数も減った。町誌は、この変化について、大和朝廷に召し出されて、近江から移動した可能性を推測している。その後、飛鳥時代の七世紀中頃に活躍した将軍・阿曇比羅夫は、この近江高島にいた安曇族の子孫だったのかもしれない。

以上、博多湾岸の海人族の北上について述べたが、これは、吉武氏もその中にいたというのではない。吉武という名字が生まれたのは平安時代であると想定している。安曇族の移動は、古墳時代や飛鳥時代早期の話であり、遅く見ても大化の改新以前のことで、吉武という名字とは関係がない。ただ、いつの時代も、船という強力な移動手段を持っていた九州の海人たちは、海や河川のあらゆる所に進出し、干潟や湿地やいろいろな地域を開拓する可能性を持った人々であったことをいいたいのである。

第十六章　石川県

第一節　小松市

石川県には現在、吉武姓はごく少ない。金沢市や白山市に少数あるらしい。石川県を取り上げたのは、小松市に「吉竹町」があるからであり、また室町時代に吉武村（現在の吉竹町）に吉武五郎左衛門尉正次という土豪の名が見える記録があるからである。さらに、吉武壱岐守という人が白山市の鳥越城にいたという。

小松あたりでは、JR北陸本線は高架になっているので眺めがよい。車窓から東（日本海と反対側の内陸部）を見ると、小松平野の背後には高さが異なる三段の山地が広がっている。まず平野の背後に一段目として高さ数十m程度の低い丘陵が左右に長く広がっている。そしてその背後には二段目として数百m級の能美山地が広がり、さらにその背後には三段目として白山（二七〇〇m）を始め二〇〇〇～三〇〇〇m級の両白山地が続いている。

小松平野は、加賀平野（金沢平野）の南半分で、両白山地と能美山地から流れ下ってくる手取川、梯川などのいくつかの川がつくった扇状地である。

日本海沿岸では、強い北西風によって海岸の砂が乾燥して吹き上げられ、砂丘が形成されている所が多い。そして砂丘ができると、砂丘の裏側（内陸側）の水はけが悪くなり、湿地や潟ができる。日本海側の各地にそのような地形があるが、石川県でも同様の傾向が見られ、有名な内灘（うちなだ）砂丘を始め、小松砂丘や大聖寺（だいしょうじ）砂丘などがあり、海岸線に沿って砂丘列が盛り上がっている。

ただし、加賀平野で潟湖ができたメカニズムについては、別の説明もある。温暖な時代に海水面が上昇し、加賀平野に海水が入り込み、その後、寒冷化の時代に海岸線が後退して内陸に塩水湖が残り、そこがやがて真水の潟湖になったという。砂丘と海岸線後退の両方の要因を考える必要があるようである。

先ほどの車窓から見た一段目の丘陵と、海岸の砂丘地の間は低湿な平野となり、かつては今江潟や木場（きば）潟、柴山潟（「加賀三湖」）という大きな湖があった。戦後の干拓事業で、今江潟の全部と柴山潟の東半分は干拓されて農地となった。木場潟と柴山潟の半分は今も残っている。吉竹町から近い木場潟は周辺が公園化されて人々の安らぎの場となっている。木場潟の沿岸部にはヨシの大群が見られる。

歌舞伎の「勧進帳」で有名な「安宅（あたか）の関」が、小松空港の近くにある。その関所があった場所がまさに海岸の小高い砂丘の上である。海岸線に並行する小高い砂丘列が、まさに平安時代には街道であったということであろう。

1 吉竹町

小松市吉竹町は、JR小松駅から東へ三㎞ほど行った所にある。小松平野の東部、山寄りの地域であり、右に述べた一段目の丘の手前になる。

小松市吉竹町は広い。東西に一・五㎞、南北に一㎞弱ぐらいはありそうである。吉竹町の半分（中央部や主要道路沿い）は住宅地となっている。あとの半分は水田地帯である。梯川と木場潟の間にある地域で、平野部は低湿な環境である。

小松市吉竹町も古い時代から人が住んだ地域で、そこには「吉竹遺跡」がある。主に弥生時代後期から古墳時代にかけての集落の跡であるが、飛鳥時代以降の建物跡も見つかっており、古い時代からずっと人々が住んできた地域である。右に述べた一段目の丘陵部に建物群があり、イネの倉庫らしい掘立柱（ほったてばしら）の建物跡もあったという。低地には水路や堰が発見されており、水田があったと推定されている。土器の生活用品、管玉や土製の勾玉、木製品などが出土した。ミニチュア土器が多数出土しており、祭祀も行われたと推定されている（小松市教育委員会『吉竹遺跡現地説明会資料』一九九六年、小松市教育委員会『吉竹遺跡――吉竹北部土地区画整理事業に伴う埋蔵文化財発掘調査報告書』二〇〇一年）。

弥生時代には、人々は山の麓の小川や湧き水が出る所に水田を作り、住居はその近くの高台に置いた。吉竹町の東部、幡生（はたさや）神社があるあたりは、そういう生活に好適の場所であっただろう。

2 吉竹町の氏神――幡生神社

吉竹町の氏神は、小字釜谷（かまだに）にある「幡生神社」である。「はたさや」と読むのが普通のようである。平安時代の神社一覧である『延喜式神名帳』に記録のある古社で、昭和三年（一九二八）には県社とされた歴史がある。呉服明神とも呼ばれ、機織り（はたお）の神として信仰されてきたという（三浦譲編『全国神社名鑑』上巻、一九七七年）。

吉竹町の東端の丘にある。神社の周囲は「憩いの森」という原生林で、小松市の文化財に指定されている。標高二〇mで、広さは一万五〇〇〇㎡という。スダジイが多いとのことであるが、その他、タブ、アカシデ、モチノキなどの大木もあるという。

幡生神社の周囲には、湧水が多く、小川が流れ、ヨシ、オギ、ササが繁茂している。

養老二年（七一八）、越前の高僧・泰澄（白山初登頂の人という）が、この神社に薬師如来を祀ったと伝えられているので、おそらくその前からこの神社は存在したということになろう。釜谷という地名は、泰澄が釜で仏前に上げるお茶をたてていたからという。幡生神社の境内には現在も「釜谷東尊山薬師堂」というお堂がある。

幡生神社は平成五年（一九九三）に火事でほとんどの建物が焼けたらしい。平成十年に再建され、現在の建物は割合新しくきれいである。寄付者の名簿が掲示板にあるが、吉武・吉竹の名はまったくなかった。

3 吉武村の吉武左衛門尉正次

吉竹町は、室町時代・戦国時代には「吉武村」と記されていた（『日本歴史地名大系17　石川県の地名』平凡社、一九九一年、『角川日本地名大辞典17　石川県』一九八一年）。加賀国能美郡に属し、南禅寺領から室町幕府領となり、さらに石山本願寺の支配下に入り、戦国時代には一向宗徒の村となった。この時期、加賀は「百姓の持ちたる国」（『実悟記拾遺』）といわれるほど農民の自治が行われたらしい。しかし、織田信長に攻められ、結局はその支配下に入った。江戸時代には加賀藩領吉竹村であり、寛文十年（一六七〇）の村高は一二三〇石というからかなり大きな村であった。

明治二十三年（一八九〇）から浅井村（後に苗代村）大字吉竹。昭和十五年（一九四〇）から小松市吉竹町となる。

現在、石川県には吉武を名乗る家は金沢市の海岸の金石地区に少しあるだけで、小松市に吉武姓はないらしい（「姓氏語源辞典」）。室町時代（永禄六年（一五六三））の記録には、加賀国吉武村の土豪で吉武左衛門尉正次という人がいたことが記されている（永禄六年十一月十一日「吉武正次田地売券」竹田文書、『日本歴史地名大系17　石川県の地名』前掲書)。
小松市吉竹町も、吉武・吉竹の発祥の地としての可能性はあるかもしれない。ただ、北陸地方には吉武・吉竹姓は少ない。

4 八日市地方遺跡

JR小松駅の近くに「八日市地方遺跡」と呼ばれる遺跡がある。この遺跡の出土品から、弥生時代に、石川県小松市と北部九州の遺跡との間に相互に交易関係があったことが推定されている。

小松市周辺では美しい緑色の石が取れる。小松市立博物館の展示解説によると、勾玉などの石材を碧玉(石英の一種)と呼んでいることが多いが、地質学的にはほとんど他の緑色の石であるという。そういえば、玉の石材を瑪瑙ということも多いが、これも地質学的には違う場合が多いらしい。

弥生時代に、この小松の石材で作った玉類が九州北部にまで到達していたという。近年、遺跡から出土した玉類の研究によって、北陸と北部九州(宗像・福岡・唐津)の間に玉類の交易ルートがあったことが推定されている。北陸産の原石が、八日市地方遺跡で玉づくり用の大きさの素材に加工され、鳥取市にある青谷上寺地遺跡で勾玉や管玉として完成され、北部九州に送られて、福岡市西区の吉武高木遺跡、宗像の田熊石畑遺跡、唐津の中原遺跡、宇木汲田遺跡の有力者たちが身に付けていたことが推定されている。木下尚子氏は、小松の遺跡に九州の定形勾玉の形状の特徴をはっきりと備えた粗製品があることから、九州の権力者の注文を受けて原石を加工していたのではないかと推定されている(小松市埋蔵文化財センター主催「フォーラム　日本海を行き交う弥生の宝石in小松」〔平成二十六年十月十八日〕の資料)。

北陸と北部九州をつなぐのは当然、日本海の海上交通である。小松では梯川をさかのぼると木場潟に入れる。

そこには静かな港がある。福岡の吉武地区も博多湾から室見川をさかのぼった沿岸部にある。宗像の田熊石畑遺跡は釣川中流域にある。唐津の遺跡は唐津湾に面する。

操船技術を持った福岡の海岸の人々は、弥生時代には既にこれらの地点と交流があったわけである。こうした古くからの文化的交流があったからこそ、平安時代に吉武という名字ができた後、これらの地区で共通して吉武という名字が広がったということも考えられる。

第二節　白山市

石川県白山市には吉武氏の名が出てくる史跡として鳥越城がある。小松市吉竹町から、国道三六〇号線で、東の山の方へ一六㎞ほど離れており、白山市三坂町になる。小松市の東にある山々のうち、二段目の数百m級の山脈の盆地にある。小松から車で行くには、鳥越小学校または白山市立鳥越一向一揆歴史館を目標にするとよい。小学校や歴史館がある山間の盆地までの道路は整備されており、二～三のトンネルを抜けなければならないが、雪さえなければ全く問題ない。

城跡は小学校や歴史館のすぐ近くの小山の上にある。その小山は地元では城山(しろやま)という。城山は標高三一二mであるが、鳥越小学校の標高は一八〇mであるので、盆地からの高さは一三〇mぐらいである。城山は急峻であり、尾根の先端部を削平して山城を築いている。この城山は車で登れるが、急坂に造った道なので道が狭くカーブが多い。軽自動車でも対向車があると難渋する。

鳥越城は、加賀の一向一揆のとき、一向宗徒の拠点であった。本願寺が派遣した鈴木出羽守が城主であったという。天正八年（一五八〇）に柴田勝家が攻め落とし鈴木出羽守は戦死した。翌年には一向一揆勢の「山内衆」が奪還したが、結局、天正十年に佐久間盛政によって制圧され、信長の支配下となった。

　鳥越城跡は、戦国時代の典型的な山城の遺構がよく残る貴重な史跡で、国指定史跡となっており、門や堀、石垣などが復元されている。

　鳥越城跡の対岸の山に「二曲城跡」がある。やはり一向一揆の拠点になった城の一つである。幡生神社もそうだが、石川県の地名は読み方がむずかしいものが多い。二曲城は「ふとげじょう」と読む。鳥越城と共に国の史跡に指定されている。

鳥越城址本丸の枡形門

　第二部第十五章第二節でふれたように、鳥越城で吉武壱岐守が城主であった時期があると伝えられているが、それは佐久間盛政が制圧した後のことであろう。村上頼勝が小松城主だったとき、吉武壱岐守という人が、能美郡鳥越城の城主となっていたという。
　滋賀県高島市の資料では、加賀の鳥越城主の吉武壱岐守は近江高島から来た人であると見ており、さらに彼はその後、越後の村上城（新潟県村上市）主・村上氏の筆頭家老となったと見ているようである。しかし石川県の資料では、近江と加賀の吉武壱岐守の関連にふれたものは見ていない。
　『村上市史　通史編2　近世』（一九九九年）は、加賀に吉武壱岐守が赴任した根拠はないとする。しかし、同書は、壱岐守は村上頼勝が近江高島の海津城（滋賀県高島市）の将のとき、その家臣に取り立てられたとしている。そうであれば、直接の根拠史料はないかもしれないが、村上氏が近江から加賀の小松に赴任したときには、壱岐守も小松に来ていたと考えるのが自然であるし、鳥越城主になっていた可能性は十分にあると思う。

『姓氏4000歴史伝説事典』（前掲書）では、加賀国の吉武氏は、村上氏族で加賀国能美郡吉武村（現在の小松市吉竹町）が発祥であるとする。日本家系家紋研究所発行の『吉武吉竹一族』（一九八八年）では、吉武氏の祖先は元来信濃国の村上氏から分かれたものであると書いている。

しかし、村上頼勝の出自についてははっきりしていないし、まして吉武氏が村上氏の系譜であるというのも、どの程度根拠のあることなのか分からない。

第十七章　新潟県

新潟県には、吉武氏は約七十人いて、全都道府県の中で二十五位である。新潟県内では、見附市が最も多く約三十人、新潟市が約二十人、長岡市が約十人で、あとは三条市、十日町、村上市にごく少数ずついるとされている（「姓氏語源辞典」）。

見附市に吉武姓が案外多いのはなぜかと考えたが、これはやはり長岡市に吉竹という地区があるからではなかろうか。長岡市や、長岡と近接する見附市と三条市に吉武姓があるのは偶然ではなかろう。なお、吉竹姓は三条市に約二十人いるだけである。

また、歴史との関連で見ると、村上頼勝が領主の時代に村上城に吉武壱岐守がいたが、村上市には吉武姓が今もわずかであるが見られる。阿賀野市にも安田城主として吉武右近という武将がいたが、阿賀野市には今は吉武姓はないようである。村上氏が改易となった後は、壱岐守は近江高島に帰り、右近は加賀藩に出仕したというから、その直系の子孫が残っている可能性は低いように思われる。

第一節　長岡市

長岡市寺泊夏戸（てらどまりなつど）という所に、小字の名で「吉竹」という地区がある。吉竹地区は、市販の長岡市地図や国

寺泊夏戸の吉竹地区

土地理院の地形図では名前が出ていないが、地元では吉竹という地名は生きており、使われている。

吉竹地区の近くに長岡市立「トキと自然の学習館」があり、ここが目標になる。ＪＲ長岡駅から県道六九号線（長岡和島線）を北上して、「寺泊夏戸」の交差点から左折すると間もなく学習館に着く。この交差点の右手（内陸側）にはＪＲ越後線桐原駅があり、ここが吉竹地区の最寄り駅である。吉竹地区は、学習館の前の道をさらに一㎞ぐらい日本海の方（西）へ行った所で、道路脇に吉竹地区の標識が立てられている。

「トキと自然の学習館」は旧夏戸小学校（平成十七年〔二〇〇五〕閉校）の校舎を改修してできた施設である。トキの保護飼育は、環境省・新潟県・佐渡市の協力で「佐渡トキ保護センター」を中心として行われているが、伝染病などによって再びトキが絶滅することを避けるために、四カ所の分散飼育センターが設けられている。長岡市も平成二十年に分散飼育地として環境省の指定を受けて、夏戸に施設を設けたのである。この学習館もその関連施設である。

三島郡寺泊町は平成十八年に長岡市と合併した。旧寺泊町は、新潟県の南北のほぼ中央にある。町の地形は概ね南北に長くて起伏が多く、北には有名な弥彦山（やひこやま）（六三四ｍ）がある。寺泊町の海岸部は概ね丘陵であり、平野部が細長く狭い。この丘陵は「砂堆」といわれるもので、日本海の沿岸流や波浪が打ち寄せた砂礫を北西風が乾燥させてできた丘である。砂丘とは異なって地盤はしっかりしているようで、現在は樹木が密生し、緑豊かな丘陵である。吉竹地区から海へ出るには、この丘を越えなければいけない。この丘が吉竹を含む夏戸地区全体の排水の妨げとなっている。

旧寺泊町の東の境界をなすのが信濃川である。新潟県の平地の多くは、信濃川などが形成した洲で、地盤が軟弱であるという。新潟では、昔は水田が深くぬかるみ、農作業が非常に困難であったと学校で習ったことを思い出した。しかし吉竹地区の家々は平地ではなく地盤のしっかりした砂堆の丘の麓に建てられている。

寺泊港は、古くから海運では知られた港で、小松や福岡とのつながりも想像される所である。江戸時代には、北前船の寄港地として大いに賑わったという。なお、北前船は石川県の加賀や小松にも寄港していたので、小松市吉竹とのつながりもあったかもしれない。

丘に囲まれた吉竹地区のヨシ原

寺泊港からは佐渡ヶ島への連絡船が出ている。古い時代から佐渡と深いつながりを持ってきた町である。

吉竹地区は、寺泊港から南へ四㎞ぐらい下がった所である。日本海に近い所で、海まで一㎞ぐらい。海は近いが集落との間には砂堆があり、山越えが必要である。

吉竹は、夏戸の一番海寄りの地区で、夏戸村の分村（子村）としてできた集落のようである。夏戸は北・西・南の三方を丘陵で囲まれ、東（内陸側）だけが開けている。周囲の山からの小河川が多いが、海への排水路がなく、湿潤な地域であり、ヨシやササが多い。

現在、吉竹地区には七～八軒の家がある。『日本歴史地名大系15　新潟県の地名』（平凡社、一九八六年）では、戸数五戸と出ているから、昔から小さな集落であったようである。この集落には吉武・吉竹という姓の家はない。

吉竹地区には、弥生時代から平安時代の長期にわたって長く人々が住んで来た。長岡市教育委員会が平成二十二年度に発掘調査を行った「吉竹北遺跡」からは、弥生時代から平安時代にかけての遺物が大量に出土している。佐渡小泊産の須恵器などの生活容器、掘立柱住居跡、製鉄関連遺物などがあった（長岡市教育委員会『吉竹北遺跡――県営経営体育成基盤整備事業（潟三期地区）に伴う埋蔵文化財発掘調査報告書』二〇一一年）。

おそらく、この地域は、日本海の海運によって、加賀の能美郡や筑前の早良郡などとの交流が古い時代から行われていた地域であり、いずれにもヨシタケという地名が残っていることも、相互交流の結果であろう。

なお、県道六九号線沿線には、江戸時代の禅僧・良寛（一七五八～一八三一）ゆかりの場所がある。出雲崎町の生家跡の「良寛堂」や、老後を暮らした島崎の「良寛の里美術館」などがある。いずれもJR越後線小島谷駅から徒歩十五分程度の距離である。

第二節　阿賀野市

新潟県阿賀野市には安田城跡があるが、慶長年間（一五九六～一六一五）にこの城の将として吉武右近という武士がいた。右近は、近江高島から越後本庄に来た吉武壱岐守の子であるという話も伝わっているようであり（『村上市史』前掲書）、吉武右近も近江高島ゆかりの吉武氏の一人と見てよいのであろう。

阿賀野市は、平成十六年（二〇〇四）に、新潟県北蒲原郡の水原町、安田町、笹神村、京ケ瀬村が合併してできた市である。安田城跡は、もちろんこのうち安田町にあった。

このあたりは平安時代には白河荘という荘園であったが、源頼朝が鎌倉幕府を建てたとき、関東御家人の大見氏がこの地の地頭に任じられて、安田に城館を築き、地名の安田を名字としたという。

戦国時代には安田氏は上杉氏に仕えて活躍したが、慶長三年、上杉氏は会津に移封され、安田氏も会津に移った。代わって、村上頼勝（義明）が、越後本庄（村上市）の領主となり、頼勝の家臣の吉武右近が、蒲原郡の安田城主（七千石）となったと伝えられている。

元和四年（一六一八）、村上氏は二代で改易となって、吉武右近もこの城を出た。その後、右近は姓を「稲葉」と改めて加賀藩に仕えたという（『村上市史』前掲書）。右近が加賀藩に行ってからのことについて、『新旭町誌』（前掲書）には興味深い話がある。吉武右近の末裔と伝わる東京の辻沢という方がおられ、右近の生涯について調べて家史を著わされた。それによると、加賀藩で辰巳（たつみ）用水を造った稲葉右近が吉武右近であるという。右近はその後用水の秘密を守るために切腹し、遺族は姓を替え、故郷の近江国高島郡辻沢村の名を取って辻沢を名乗ったという。

安田城は一国一城令で一旦は廃城となったが、寛永十六年（一六三九）、堀氏を主（あるじ）とする安田藩（三万石）が置かれ、藩の陣屋（藩庁）が築かれたという。現在、阿賀野市の児童公園（交通公園）となっている所は、この堀氏の時代の陣屋の跡らしく、周辺まで含む広さがあったらしい。

「吉竹右近」と書いた資料もある。『安田町史　中世編』（一九九七年）では「吉武」となっているが、『安田町のあゆみ』（二〇〇四年）では「吉竹」となっている。城跡にある現地の阿賀野市教育委員会の案内板では「吉竹右近」となっている。私は「吉武右近」と表記する方を選んだ。というのは、『あゆみ』は、安田町史などを基にして作成したと巻末に記されている。その町史では、江戸時代に小田島允武（まさたけ）（文化十二年〔一八一五〕没）が著した『越後野誌』の記述を基にしたとある。『越後野誌』では、「土人伝説ニ曰……吉武右近ヲ城主トス」とある。地元の言い伝えの伝聞を、小田島が「吉武」と書いたものであり、他に頼るべき文書はなさそうである。『村上市史』は吉武右近と表記している。

第三節　村上市

村上市には近江高島出身の吉武壱岐守と推測される人物が村上城の曲輪の一つ「田口曲輪」を預かっていたという。田口曲輪は「壱岐殿丸」とも呼ばれたと伝えられている。近江高島の吉武壱岐守は、村上頼勝が丹羽長秀の指揮下で近江の海津城を守っていた天正十年（一五八二）ごろ、頼勝に取り立てられたと思われる。吉武壱岐守は、やがて村上頼勝の筆頭家老となり、慶長三年（一五九八）に村上頼勝が越後国本庄の領主となったとき、一緒に本庄城（後の村上城）に入ったと考えられる。

『村上市史』によれば、村上氏が本庄に来たとき、近江高島郡から村上一族の他、吉武壱岐守を始め、元伊黒城将の林八郎右衛門など何人もの武士たちが随伴してきたことが当時の記録から分かっているらしい。そういう状況であれば、村上城の吉武壱岐守は近江高島の吉武壱岐守であったと見て間違いないであろう。さらに、村上氏の前任地は加賀の小松であったが、村上氏に要請されて小松から村上城下へ移り住んだ町人や寺があったという。小松屋などの屋号を名乗った商人もあったらしい。現在、村上市に吉武氏が少数いるが、小松市の吉竹地区から移って来た職人や商人などが、村上で吉武を名乗るようになったという可能性もあるかもしれない。

村上城は、村上市の市街地の東部にある独立した小山・臥牛山（がぎゅうさん）（一三五ｍ）に築かれた平山城である。本庄城あるいは舞鶴城ともいう。十六世紀の初めに本庄氏の本拠として築かれたと見られており、戦国末期の上杉謙信との戦いなど多くの戦場ともなった。

田口曲輪は、市の案内図によると、城山の高い所ではなく、東面（市街地と反対側）の麓の一区画のようである。曲輪とは、城の本丸を守るために、その周囲に作られた砦のことで、堀や石垣で区切られた平面区画に見張りと守備のための建物があるような所である。吉武壱岐守はその田口曲輪の将であったので近くに屋敷もあったのかもしれない。

慶長三年、上杉氏の移封に伴って本庄氏も磐城国田村郡守山（現・福島県郡山市）に移され、堀秀治（ひではる）が越後国主（春日山城、上越市春日山町）となった。その与力・村上頼勝は越後本庄領主（初代村上藩主）となった。村上家は二代で改易となり、堀氏がその後本庄を治めたが、その時代に村上城に天守閣が建てられたらしい。しかし、その後、落雷により天守閣が焼失し、以後、天守閣は再建されなかった。江戸時代後半は、内藤氏が村上藩主となった。

現在は、戦国時代に築かれた竪堀の遺構や、江戸時代に築かれた石垣が残っているようで、平成五年（一九九三）に国史跡に指定されたという。城山は山頂まで徒歩約二十分ばかりで登れるそうで、小学校の自然学習や市民の憩いの場となっているようである。

村上氏が本庄城を「村上城」と名付けたので地名も村上になったという説は、はっきりとした根拠となる資料はないようであるが、おそらく史実なのであろう。黒田氏が筑前に入って博多の西に城を築き「福岡城」と名付けたことで、福岡という武士の町ができたように、本庄の町も村上城から村上という地名になったのであろう。

第十八章　愛知県

愛知県には吉武氏は約三百人、兵庫県と同じぐらいはいる。県内市町村で多いのは、豊田市（約四十人）、名古屋市港区（約三十人）、名古屋市緑区（約三十人）、名古屋市中川区（約二十人）、一宮市（約二十人）などである。やはり近代におけるこれらの地域の工業化の進展に応じて、他の地域の吉武氏が流入してきたのではなかろうか。

愛知県新城市牛倉（うしぐら）地区には「吉竹」の地名があり、「吉竹遺跡」がある。愛知県の吉竹氏は約六十人である。新城（しんしろ）市は、愛知県の東端、東三河地区で、静岡県と接する。牛倉地区は地図で見ると浜名湖の北になる。豊（とよ）川が流れている。

天正三年（一五七五）五月、織田・徳川連合軍と武田軍が戦った長篠合戦が行われた設楽原（したらがはら）は新城市内にあり、牛倉地区から近い。牛倉地区も設楽原の一部になる。

吉竹遺跡は、弥生時代後期から古墳時代前期（三〜四世紀）の集落遺跡である。豊川支流の大宮川がつくる谷地形の入口の台地上に立地する。遺跡は小さく、約八〇〇㎡に収まる程度であるという。同時期に存在した建物は一〜二棟と推定されている。竪穴建物跡や周辺から、土器、石製紡錘車（ぼうすいしゃ）、三角形鉄鏃（てつぞく）、鉄斧などが出土している。鉄の鏃（やじり）や鉄の斧などの鉄製品を所有していたということは、地域の有力者の住まいであったと推測される（『愛知県埋蔵文化財センター調査報告書　第一九一集　吉竹遺跡』二〇一五年）。

おわりに

七十歳から続けた吉武姓の研究を、八十歳でなんとか形にできたことはうれしい。一冊の本として、形にしていただいた海鳥社の皆さん、特につたない原稿を丁寧に読んで不備を指摘していただいた編集担当の田島卓さんには心から感謝している。

もともと記憶力に自信がないので、研究の過程ではたくさんメモを書いていた。そのメモを基にして本の原稿を作ったのであるが、時間が経ってしまったために、自分で書いたメモの意味が分からなかったり、調べた時期によって年代や事実が矛盾していたりして、結局、図書館に行って基礎の資料から調べ直す必要に迫られ、校正の最終段階まで勉強に追われ、原稿自体の差し替え箇所も多かった。編集者に迷惑をかけたし、自分も疲れた。

歴史は素人なので、名字の研究は正直難しかった。歴史研究者の皆さんの苦労をほんの少し垣間見た思いである。情報不足のところは御海容いただくとともに、間違いは御指摘くださるとありがたい。

苦労はしたが、課題を抱えて追究し続けたことはやはり楽しかった。

コロナ感染症の大流行で、まだ調査に行けていない吉武・吉竹ゆかりの土地や城跡も残っている。コロナも、このところ、ようやく先が見えてきたようであるから、これからは、この本をバッグに入れて、のんびり旅をしたいものだ。

令和五年　陽春の候に

著　者

吉武弘喜（よしたけ・ひろき）
昭和18年生
福岡県筑紫野市在住
福岡学芸大学教育学部卒業
国立科学博物館教育部長
九州産業大学芸術学部教授（博物館学）
九州造形短期大学長
現在、「つくし郷土史会」所属

吉武姓の話
名字の歴史と分布

■

2023年 4 月 5 日　第 1 刷発行

■

著　者　吉武弘喜
発行者　杉本雅子
発行所　有限会社海鳥社
〒812-0023　福岡市博多区奈良屋町13番 4 号
電話092(272)0120　FAX092(272)0121
印刷・製本　有限会社九州コンピュータ印刷
ISBN978-4-86656-143-1
http://www.kaichosha-f.co.jp
［定価は表紙カバーに表示］